Wishing you man... ...ilting.

)

QUILTING

Lappeteknikk, vattering
og applikasjon

QUILTING

Lappeteknikk, vattering og applikasjon

Elaine Hammond

Oversatt av
Dorthea Hysing

Boksenteret forlag

Detalj fra pute med sjødyr (side 76)

EN BOK FRA DAVID & CHARLES

Originalens tittel: The absolute beginner's guide to PATCHWORK, QUILTING & APPLIQUÉ
Utgitt første gang i Storbritannia 1997

ISBN 82-7683-186-9

Fotografier: Paul Biddle
Bokdesign: Roger Daniels
Illustrasjoner: Terry Evans
Trykt i England 1998

Henvendelser om boken rettes til:
Boksenteret A/S
Postboks 3125 Elisenberg
0207 Oslo
Tlf: 22 54 07 00
Fax: 22 54 07 07

Innhold

Forord	6	Forkle og nett med kakemann	87
Materialer og utstyr	9	Nakkepute for søte drømmer	93
Grunnleggende teknikker	16	Veggteppe med blyglassmønster	97
London trappe-quilt	31	Indiansk quiltet teppe	100
Indigoblå skulderveske	36	Pute til gifteringer	104
Deksel med vindmøllemønster	40	Albumtrekk med kirkevindumønster	108
Quilterens øyesten	43	Veggteppe med sammenflettete ringer	111
Regnbue-veggteppe	46	Sashiko knutepute	116
Veggteppe med vårblomster	49	Eplequilt	119
Quilt med Liberty-hjerter	53	Litteratur	126
Quilt med bobleteknikk	58	Grossister og detaljister	126
Juledekorasjoner	61	Takk	127
Juleteppe til å ha under treet	68	Stikkordregister	128
Tevarmer med keltisk mønster	72		
Pute med sjødyr	76		
Babyteppe fra Devon	80		
Liten skulderveske med landskap	83		

Forord

Det er tyve år siden jeg var så heldig at jeg kom over prosjekter laget med lappeteknikker og quilting. Dengang var det ikke så mye informasjon å få tak i, det lille jeg fant var kryptisk og i min visdom valgte jeg å overse råd og vink. Mine første famlende forsøk resulterte imidlertid i en brukbar pute som fikk plass i min mors gyngestol, og beruset av suksessen fortsatte jeg med en tevarmer. Etter den regnet jeg meg selv som en ekspert og det neste jeg kunne gi meg i kast med var vel å lage et quiltet teppe til en dobbeltseng, en gave til min bror i anledning hans bryllup?

Denne første quilten ble simpelthen en katastrofe, ikke minst fordi jeg ignorerte alle forslag til fremgangsmåter. Min entusiasme lot seg imidlertid ikke knekke, og jeg fortsatte med mindre arbeider og deltok på kurs når jeg hadde anledning, og suget i meg all informasjon som en svamp. Behovet for å kunne mere gjør læringen lettere, og jeg oppdaget at jeg tilegnet meg kunnskaper nesten uten å anstrenge meg. Mens jeg holdt på med dette ble jeg også mer opptatt av å lese grunnbøker hvor jeg fant diagrammer og bilder som hjalp meg til å skape noe, uten å måtte lese store tekstmengder. Jeg hadde kommet fortere i gang med quilteteknikken hvis jeg hadde funnet all relevant informasjon i en bok, og sluppet å plukke litt fra de tre fagemnene lappeteknikk, quilting og applikasjon. Jeg har forsøkt å få denne boken til å bli som den jeg savnet. Avsnittene om materialer og verktøy er nyttige, og veileder deg i hva du må anskaffe, selv om det faktisk er veldig lite du trenger. Mest tekst finner du under *Grunnleggende teknikker* og her forklares alt om fremgangsmåter og sting. Deretter følger 25 prosjekter å øve på.

En vakker sammensetning av lappeteknikk, quilting og applikasjoner i Pute til gifteringer (side 104), Albumtrekk (side 108) og Veggteppe (side 111).

Keltisk tevarmer og grytelapp (side 72).

Quilting er en vakker teknikk som hovedsakelig lages ved hjelp av ett eneste sting. Men med dette ene enkle stinget kan man få det mest fantastiske håndarbeid. Opprinnelig ble teknikken utviklet for å holde tre lag med stoff sammen, slik at man fikk et varmere og tykkere teppe. Utfra dette utviklet quilting seg til en selvstendig kunstart. Jeg har plukket frem ulike typer quilting i denne boken, som *Babyteppe fra Devon;* med applikasjoner, *Veggteppe med vårblomster,* og selvfølgelig lappeteppeteknikker slik det er vist i *Eplequilt* (s. 119).

Applikasjoner er mer en dekorativ teknikk enn den er funksjonell. Det finnes flere metoder for ulike behov, og resultatene blir som regel imponerende. Det finnes ingen begrensninger for hvilke bilder og mønstre du kan lage ved hjelp av denne teknikken. Den kan benyttes for moro skyld som på *Forkle og nett med kakemann;* med symbolsk innhold som i *Pute til gifteringer* eller med en dekorativ funksjon i et *Juleteppe.*

Eksemplene er valgt fordi de er nyttige, tiltalende og instruktive, og når du har arbeidet deg gjennom hele boken skal du ha god kjennskap til lappe-teknikker, quilting (vattering) og applikasjoner. Jeg er sikker på at du blir inspirert av disse tre teknik-kenes muligheter og at du kan gå videre med dine egne kreative ideer. Hvis du gjør det, har jeg nådd mitt mål om å presentere nybegynnere for disse fascinerende håndarbeidstradisjonene, med det håp at de skal ha like stor glede av dem som det jeg selv har hatt. Boken er bygget opp slik at den skal være lettest mulig å bruke. Trinn-for-trinn-forklaringer understrekes av fotografier og strektegninger. Når du kommer til en bestemt teknikk, vil et sidetall referere til hvor i kapitlet *Grunnleggende teknikker* du finner en utfyllende forklaring.

Boken du holder i hånden er den jeg savnet for tyve år siden. Hvis du er nybegynner håper jeg du finner den nyttig, men allier deg med andre interes-serte. Jeg misunner deg oppdagelsesreisen inn i lappenes rike!

Lappeteppeteknikken er fascinerende og mange-sidig. Jeg er sikker på at de fleste som arbeider med lapper og quilting blir spurt om hvorfor de har be-hov for klippe stoff i småbiter for deretter å sy bitene sammen igjen. Sannheten er at det er det ganske vanskelig å forklare. Noen blir fascinert av geome-trien og gleden ved å utvikle et helt nytt mønster hvor alle bitene passer sammen. Andre oppdager at lappeteknikken er en fantastisk måte å eksperimen-tere med farger på, og ved å kombinere dem på nye måter oppstår det helt personlige uttrykket. I denne boken går jeg gjennom flere ulike lappeteknikker. Hvert eksempel går rett på sak, og du vil lære mye av hvert enkelt, samtidig som du får en grunnleggende innføring i de enkelte teknikkene. Du kan for eksempel velge å lage en pute eller en veske i stedet for *Albumtrekk med kirkevindumønster.*

Materialer og utstyr

Du trenger svært lite utstyr når du arbeider med lapper, quilting og applikasjoner. Det viktigste er stoffet og tråden. Selvfølgelig finnes det massevis av innretninger på markedet, men de er slett ikke nødvendige. Det er bedre å begynne med det grunnleggende og kjøpe verktøy etter hvert som du kommer over noe du ser er effektivt. I dette kapittelet beskriver jeg det grunnleggende utstyret og hvordan det skal brukes.

Syl eller hulltang Dette er et nyttig verktøy som brukes hvis du skal lage små, pene hull, enten i kartong eller i et bestemt arbeide.

Grunnleggende sysaker En liten eske eller veske som inneholder det du finner beskrevet i rammeteksten og ser på bildet nedenfor.

Bias bars Metallspiler til å lage «skråbåndtuber» med.

GRUNNLEGGENDE SYSAKER

Synåler – til quilting og håndsøm
Sakser – til papir og tråd/stoff
Sytråd – nøytral til de fleste prosjekter og farget til de enkelte arbeidene
Fingerbøl
Målebånd
Knappenåler, sikkerhetsnåler og nålepute
Linjaler – 15 cm og 30 cm lange
Blyant og kulepenn

Skråbånd Dette er bånd som er skåret ut diagonalt i forhold til stoffets trådretning. Det gir båndet en viss elastisitet slik at det kan brukes til kanting av kurver og buer.

Bondaweb se vlisofix

Kartong Ikke kast de tomme corn flakes-eskene! Ta vare på for- og bakstykkene og bruk dem når du lager maler for lappearbeider, quilting og applikasjoner. Fødselsdagskort og pappen som ligger i strømpepakker kan også brukes.

Passer Overlevninger fra skoledagenes geometriutstyr kan plukkes fram. Du vil trenge passeren til å tegne sirkler i mønsteret for lappearbeider, quilting og applikasjoner.

Skjæremalte Disse platene er laget av et spesielt maleriale som gjør at de tåler å bli skåret i. De finnes i mange størrelser og er en god investering da de forlenger livet til skjærehjulets blad, og beskytter arbeidsbordet.

Ekstrakant Brukes hvis du vil utvide størrelsen på arbeidet ditt slik at du kan arbeide helt ut i kanten i en ramme. Bruk gammelt lakenstoff eller stoff som er til overs. Lag tre eller fire stykker på ca. 35 cm x 1–1,5 m. Fald opp sårkanten eller sy over med sikksakksøm. Hvis de brettes dobbelt kan de festes til ytterkanten av quilten med nåler, slik at den blir større.

Stoffer Lappearbeider, quilting og applikasjoner kan lages av de fleste stofftyper, men enkelte er lettere å arbeide med enn andre. Vanligvis er ren bomull det mest ideelle og det som best lar seg stryke og brette. Vask stoffene hver for seg med mild såpe og skyll godt når du har kjøpt dem. Legg også merke til hvor fargeekte de enkelte stoffene er. Hvis stoffet fortsetter å gi fra seg farge bør du ikke bruke det, for det kan ødelegge hele arbeidet. Heng stoffene til tørk eller bruk en tørketrommel, stryk dem og oppbevar dem i en ren eske.

GRUNNLEGGENDE UTSTYR

grunnleggende sysaker
papir – vanlig, millimeter og isometrisk
linjaler – 15 cm og 30 cm
fargeblyanter og markørpenn
tusjpenner
limstift
broderiring eller -ramme
maler
kartong – halvstiv

Vlisofix Dette er en type papir hvor baksiden er dekket med tynt lag lim. I tillegg til at det gjør stoffet sterkere, brukes det hovedsakelig ved applikasjoner (se beskrivelse av bruksmåte på side 25). Bondaweb er et merkenavn for vlisofix og produseres av Vilene.

Lim Bruk tyktflytene lim som kan lime stoff, papir, kartong og papp og som derfor er egnet for arbeider hvor esker skal trekkes med stoff.

Limstift er nyttig når du lager papirmaler og limer sammen flere ark for å få et stort. Limstiften kan også brukes til midlertidig å holde stoff på plass.

Millimeterpapir Dette brukes når du skal overføre mønstre eller motiver. Du kan tegne maler over på millimeterpapiret, klippe ut formen og lime den på halvstiv kartong. Isometrisk papir er nyttig når du arbeider med heksagramme motiver.

Strikkepinner eller cocktailpinner Disse er praktiske for å få sømmer og hjørner spisse og jevne når du vrenger stoffet etter å ha sydd maskinsøm på vrangen. Brukes også for å stappe fyllmateriale i trange områder som i trapunto (italiensk quilting hvor du bruker fyllmateriale eller en bløt snor i en forhåndssydd kanal). En kraftig, butt stoppenål kan også være nyttig.

Lysbord Et lysbord er en kasse (som regel i metall, og i mange ulike størrelser) som rommer ett eller flere lysrør. Kassen er dekket av melkehvitt glass eller plast som mønsteret for quiltingen eller applikasjonen kan tapes på. Lyset i kassen gjør at det er lett å se mønsteret enten du legger stoff eller papir oppå. Du kan lage et primitivt lysbord ved å lime mønsteret til et godt opplyst vindu, en klar plastboks eller et glassbord som du plasserer en lyskilde under.

Maskeringstape Finnes i ulike bredder. De mest brukte breddene er 0,5 cm og 2,5 cm. Maskeringtape brukes ofte til å avmerke linjene det skal quiltes etter.

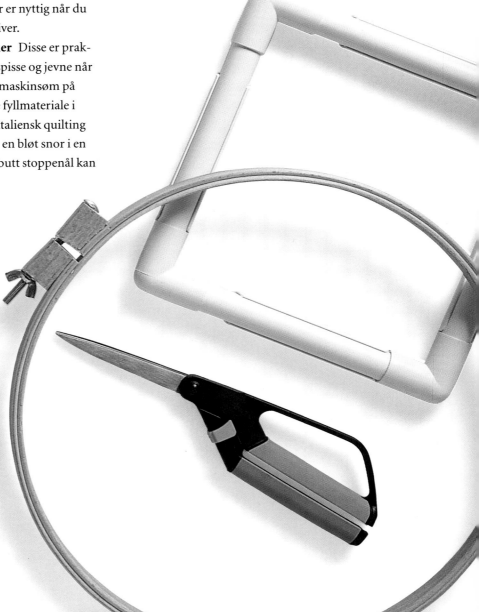

Fest markeringstapen til quiltens overside, merk av langs kanten og trekk tapen av. Den er også nyttig når du quilter lange, rette linjer, som et rutenett. Fest tapen til quiltens overside når quilten er spent opp i en ring eller ramme slik at du kan merke quilte-linjene. Quilt langs tapen og fjern tapen når søm-men er sydd. Du kan bruke hver tapebit to eller tre ganger. Bruk også maskeringstape til å holde stoff eller papir på plass midlertidig, spesielt hvis du tegner av mønsteret mot et vindu.

Synåler Du trenger et bredt spekter av synåler. Når du syr sammen lapper trenger du svært spisse nåler, men til quiltingen bør de være korte og tynne. Til å begynne med vil du nok synes at de er håpløst små og vanskelige å bruke. Begynn med nr. 8 eller nr. 9 og fortsett med nr. 10 eller nr. 12 (høyere nummer gir finere nål). En butt tråklenål brukes til å perforere et quiltemønster (hvor fyllmateriale eller en bløt snor stappes inn i forhåndssydde kanaler). Store dukke-nåler kan brukes for å tråkle sammen lagene i quilten.

Pynt Bruk alt du måtte ha lyst til, knapper, perler, charms og liknende, spesielt på vegg-arbeider og klær (men av sikkerhetsgrunner **ikke** på quilter som skal brukes av små barn). Gullperler vil få arbeidet ditt til å skinne, og knapper er fine for å feste sammen lagene i quilten og gir også et litt snurrig, sjarmerende uttrykk, mens perler og paljetter alltid tar seg godt ut.

Blyanter og penner *Gråblyanter* brukes til å tegne av mønstre og merke stoffet. Harde blyantkvaliteter samt fargeblyanter med sølv- og gullfarge er fine til å avmerke mønster på quiltens overside, mens bløtere blyantkvaliteter brukes til å tegne rundt maler.

Fargeblyanter er nyttige for å bestemme farge-bruk. Bruk dem når du planlegger mønstre og eksperimenterer med fargesammensetninger. Husk at mørke farger synes å synke inn i bakgrunnen, mens lyse farger står fram. Fargeblyanter er også nyttige for å merke quiltemønsteret på stoffet. Velg en farge som er litt mørkere enn tråden du skal sy med, og tegn med lett hånd. Stingene vil dekke merkene.

Tusjpenner kan også brukes til å fargelegge mønsterplanene dine.

Markørpenner finnes i mange utgaver, så du får lete deg fram til de som passer deg best. Til enkelte arbeider, spesielt de som skal vaskes, er det egnet å bruke vannløselige merkepenner. Blyanter og fargeblyanter brukes også til å avmerke mønstre.

Knappenåler og nålepute *Tynne knappenåler* er nødvendig for å holde sammen stoffet når du setter sammen lapper eller arbeider med applikasjoner. Kjøp gode knappenåler. De som har farget hode er lettere å finne igjen i foldene på stoffet. Velg knappenåler etter hvilken type arbeide du holder på med.

Sikkerhetsnåler Kan brukes til å holde lagene i quilten sammen.

NYTTIG UTSTYR

0,5 cm maskeringstape
bias bar
passer
sikkerhetsnåler
symaskin
plast til å skjære ut maler av

TILLEGGSUTSTYR

stort skjærehjul
spesiallinjal med mål i cm eller inch
skjærehjul
skjærematte
spesialutformet symaskinfot
sjabloner – for maling og quilting

Hvis du quilter på maskin, kan du fjerne knappenålene etter hvert som du passerer dem og det er ingen tråklesting som symaskinfoten kan hekte seg opp i. Sikkerhetsnåler kan brukes i stedet for knappenåler hvis du vil at arbeidet skal holdes ordentlig på plass mens du jobber.

Nålepute er praktisk slik at du slipper å stikke deg hver gang du putter hånden ned i esken, og i tillegg beholdes nålenes spisser bedre.

Quilterammer er nyttige innretninger som sørger for at hele arbeidet får en jevn strekk. Dermed er det lettere å få jevne sting som er like på for- og baksiden. Det finnes mange typer quilterammer.

Gulvrammer er vanligvis store og har hjul på hver side. Quilten festes til et lerret

som blir festet til hjulene, og hjulene dreies til quilten står i passe spenn. Hjulene kan dreies slik at du kan arbeide på neste felt på quilten.

Håndholdte rammer finnes i tre eller plast. De som er laget i tre er egnet for eksempel til putetrekk, og arbeidet er festet til lerretet på fire sider.

Plastrammer med klips er de beste rammene og finnes i mange størrelser. En slik plastramme består av fire plastrør og fire klips. Quilten plasseres over rammen og klipsene holder stoffene på plass på rammen. Det er enkelt å regulere hvor stramt stoffet er. Rammene er lette og gode å holde i, de kan tas helt fra hverandre når de ikke er i bruk og løsnes slik at stoffet ikke står i spenn når du ikke syr.

Quilteringer Disse finnes i mange størrelser og består av to ringer i tre. De minner om broderirammer, men har høyere sidekanter. Den beste størrelsen for de fleste arbeider er 36 cm. Den tillater deg å

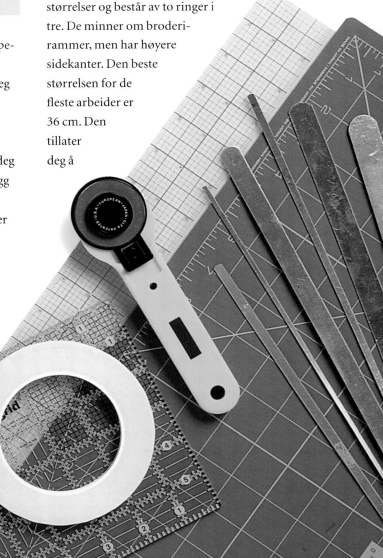

quilte over relativt store områder uten å anspenne skuldrene. Quilten plasseres over den minste ringen, og den største ringen plasseres utenpå quilten. Strammeskruen holder alle lag på plass og sørger for at stoffene er passe stramme, slik at det er lettere å quilte. Ulempen med quilteringen er faktisk at den er rund, for det betyr at du kan få uønsket strekk på skråbånd hvis stoffene er godt strammet. Hvis du imidlertid passer på å løsne ringen om natten, eller hvis du ikke skal sy på en stund, skulle ikke dette by på problemer.

Skjærehjul Et skjærehjul kan spare deg for mange timers slitsomt klippearbeide med saks, spesielt hvis det er mange stoffer og mange lapper som skal skjæres. Skjærehjulet er et verktøy som minner om et pizzahjul, med et meget skarpt, rundt blad med en innebygget beskyttelse. Fordi hjulet ruller over stoffet, blir skjærelinjen uavbrutt, ren og rett. Stofflappene til en quilt kan skjæres i løpet av timer i stedet for dager, og det at det er så tidsbesparende gjør det vel verdt å prøve. Du får best resultat hvis du bruker skjærehjulet på en skjærematte sammen med en skjærelinjal. Den totale utgiften skulle ikke bli uoverkommelig, og det er verd å forhøre seg litt i en hobbyforretning. Når du har foretatt denne investeringen, er nye blader det eneste du trenger å kjøpe.

Linjaler Sørg for at du har en vanlig 15 cm og en 30 cm linjal i sysakene dine. De er nyttige både når du lager mønstre og merker stoff før quilting.

Skjærelinjaler lages av tykk, klar plast og er laget for bruk sammen med skjærehjulet. De finnes i mange størrelser og er inndelt i cm og mm og har gjerne vinkler i 45° og 60° avmerket. Hånden plasseres på den brede linjalplaten og skjærehjulet føres langs kanten. Dermed blir snittet fint og jevnt og det er ingen fare for at du skal skjære deg.

Sakser Du bør ha tre sakser. En som bare brukes til papir, en til stoff og en til små tråder. Velg gode, skarpe sakser av førsteklasses kvalitet og pass på at de ikke blir brukt til annet enn lappearbeider, quilting og applikasjoner.

Sprettekniv Dette verktøyet er slett ikke så pessimistisk som det kan høres ut. Det kan selvfølgelig skje at du må sprette opp sømmer, men dette lille verktøyet er også nyttig når du skal stappe små områder, som i trapunto (se s. 11). Det er også fint å bruke sideveis til å føre stoffet under symaskinfoten når du syr sammen lapper på maskin.

Symaskin Selv om mange lappearbeider må sys for hånd, er det fornuftig å investere i en symaskin som kan utføre de kjedelige sømmene. Den trenger ikke være spesielt avansert eller ny. Det mest spesielle du trenger til lappearbeider er sikksakksøm.

Spesialfot for symaskin er en god investering hvis du skal bruke maskinen regelmessig til lappearbeider, quilting og applikasjoner. Det finnes to typer som er spesielt egnet. Den første er nøyaktig ¼ tomme bred. Bernina har en maskinfot for lappearbeider som heter No. 37, og som er utviklet for å sy sammen lapper på maskin. De fleste leverandører har liknende produkter som gjør at det går raskere og er enklere å sy sammen lappene med maskinsøm. Hvis du skal quilte på maskin er en overtransportør nødvendig. Den sørger for at to eller flere lag stoff transporteres i samme hastighet slik at sømmen blir like pen på oversiden som på undersiden.

Sjabloner Det finnes ferdige sjobloner i handelen til både quilting og maling. Du kan bruke sjablonen og overføre et motiv til stoffet og quilte rundt motivet, eller velge en spesiallaget quiltesjablon som du bruker til å merke av på stoffet. Hvis det er snakk om et lite motiv som ligger i en firkant midt i et lappearbeide for eksempel, kan du merke motivet på stoffet rett før du begynner å quilte, når arbeidet er plassert i ringen eller rammen.

Maler *Ferdige maler* finnes i salg både til quilting og applikasjoner og kan være et fornuftig valg i mange situasjoner. De er skåret ut med høy presisjon og dermed blir resultatet svært nøyaktig. De er imidlertid relativ kostbare, men det vil nok likevel lønne seg å kjøpe dem hvis du planlegger å bruke dem mange ganger.

Hjemmelagde maler lager du lett av kartong eller

plast. Hvilket materiale du skal velge vil avhenge av arbeidet. En god mal av plastkvalitet som du kan finne i velutstyrte hobbyforretninger, er egnet for store arbeider hvor du bruker mange lapper. Kartong slites raskere hvis den brukes mye, mens plast tåler langt mer. Hvis du bare skal bruke malen noen ganske få ganger, er halvstiv kartong fullt brukbart.

Fingerbøl Selv om du kanskje ikke liker å bruke fingerbøl, vil du snart finne ut at det er nyttig. Pass på at det har riktig størrelse, for det skal sitte såpass tett at det kjennes på fingeren. Det finnes svært mange utgaver i ulike kvaliteter og materieraler, og helt sikkert et du liker.

Tråd De aller fleste lappearbeider sys med bomullstråd fordi det er mest vanlig å bruke bomullsstoffer. Bruk helst en nøytral farge på tråden, spesielt hvis du arbeider med quilter hvor det er brukt lapper i mange ulike farger. Da kan det være fornuftig å velge en mellomgrå nyanse som går bra til de fleste stoffer. Som tråkletråd velger du en ganske tynn lys bomullstråd. Det finnes også egen tråd som er utviklet for quilting, og som leveres i en lang rekke farger. Quiltetråden er nokså tykk og har en overflate som gjør at den ikke floker seg så lett. Nå du quilter er det viktig at tråden har riktig farge.

Fyllmateriale Det finnes mange slag og tykkelser av vatt som oppfører seg ulikt og brukes til forskjellige arbeider. Det finnes polyestertyper, blandinger av polyester og bomull, bomull og ull og de spenner fra relativt tynne og lette til tykke og tunge. Til klær og mindre quiltearbeider finnes det spesielle fylltyper som ikke bygger så mye i høyden. På den annen side brukes det gjerne ganske tykke materialer i vattepper og soveposer, men denne typen benyttes sjelden av de som arbeider med quiltearbeider. Bomullsvatt og polyestervatt kan brukes til mye. Det kan være lønnsomt å kjøpe fra rullen med den største bredden. Du kan alltid klippe ut mindre biter til mindre arbeider, men du slipper å skjøte sammen flere lengder hvis du skal sy et sengeteppe.

Polyester er det rimeligste og mest brukte materialet til vattering. Det benyttes til quilter og klær.

Det er lett å bruke fordi det ikke krever så tette quiltesømmer og tåler godt å bli vasket, noe som er en stor fordel til for eksempel krabbetepper. Det er imidlertid to store ulemper med polyestervattering. Den ene er tendensen til å «røyte» slik at små fibre arbeider seg ut gjennom stoffet og gir overflaten et bustete utseende. Det er ingenting å gjøre med når situasjonen har oppstått, men du kan forsøke å unngå den ved å benytte poyesterfibre som har en spesiell overflate som holder bedre på fibrene. Du kan også passe på at du bruker mørkt fyll til mørke stoffer og tilsvarende lyst fyll til de lyse stoffene. Det andre problemet er at vatteringen kan bli flatere ved bruk, og hvis det skjer er det ikke noe å gjøre ved og arbeidet får ikke tilbake spensten det hadde da det var nytt.

Polyester/bomull er en fin vattering spesielt for maskinquilting og arbeider som krever et flatere og mer gammeldags utseende og uttrykk. Den kan maskinvaskes, noe som ofte fører til kryping. Dette understreker det alderdommelige utseendet.

Bomull er ganske tungt og må quiltes grundig for at alle fibrene skal holdes sammen. Det ferdige quiltete arbeidet blir tungt og er vanskelig å vaske. Bomullsvattering er imidlertid et populært materiale for alle som quilter på maskin, fordi resultatet blir flatt og ganske fast.

Ull er det beste materialet hvis man planlegger å lage et quiltearbeide som skal bli familiens arvestykke. Ull er lett, har spenst, er mykt og vil beholde disse egenskapene gjennom generasjoner. Den største ulempen med å bruke ull som vattering er at det vanligvis er relativt mer kostbart enn de andre alternativene.

Grunnleggende teknikker

Arbeidene i denne boken er laget ved hjelp av noen få teknikker som dekker de grunnleggende fremgangsmåter for lappetepper, quilting og applikasjoner. Her finner du de detaljerte beskrivelsene som det refereres til i de ulike prosjektene.

FORSTØRRE MØNSTRE

Det er ofte nødvendig å forstørre mønstre og det kan lett gjøres på en kopimaskin som utfører prosentvis skalering. Hvis du har behov for å forstørre mer enn det kopimaskinen kan håndtere, må du først kopiere en gang med størst mulig forstørrelse og deretter kopiere en gang til med riktig prosentsats. Når du kopierer malene på denne måten kan det oppstå små forvrengninger, så det er viktig at du kontrollerer at papirmalene passer sammen før du begynner å klippe i stoffet.

Noen ganger er det bare plass til å vise halvparten av et symmetrisk motiv i boken. Da må du forstørre mønsteret slik fremgangsmåten forklarer, og tegne det av en gang (hvis du har et halvt motiv) eller tre ganger (hvis du har et fjerdedels motiv) før du kan sette alt sammen og få et mønster til hele motivet.

BRUKE ET LYSBORD

Lyskilden i et lysbord (se avsnittet om utsyr på side 11) vil lyse opp et mønster og gjøre det lettere å se når du skal tegne det av. Du kan lage ditt eget lysbord ved å tape mønsteret til et godt opplyst vindu eller bruke et glassbord eller en klar plastboks med en lampe under før du kopierer mønsteret nøyaktig. (Les også: *Merke quiltemønsteret* på side 21.)

SKJÆREHJUL

Når du skal bruke et skjærehjul må du først stryke stoffene dine og legge dem over hverandre, eller folde et stykke slik at du får opptil seks lag. Legg linjalen øverst og trykk den ned slik at den ligger stødig. Skjær langs linjalen med skjærehjulet, men pass på at du skjærer fra deg. Husk å skyve bladet inn hver gang du har brukt det slik at ingen skader seg på det. Det finnes mange ferdiglagde maler i plastmaterialer som er egnet for bruk med skjærehjul, og mange bøker som viser hvordan du ved hjelp av skjærehjulet raskt kan skjære lappene som trengs til quiltearbeider.

ENGELSKE PAPIRMØNSTRE

Dette er en lappeteknikk som bruker papirstykker for å skjære stofflappene i nøyaktig riktig størrelse. Det er nyttig for små sekskanter eller diamanter.

1 Lag først en mal i middels tykk kartong i størrelsen som den ferdige lappen skal ha. Denne skjærer du papirlappene etter. Deretter lager du en til i samme form, men den skal være 0,6 cm større hele veien rundt, og brukes til stofflappene, slik at du får nok stoff til å brette inn og sy i.

2 Bruk den minste malen og skjær ut mange papirmaler fra et litt stivt papir. Deretter skjærer du stoffbitene ved hjelp av den større malen.

3 Fest papirmalen midt på stoffbiten med en knappenål, og brett stoffet inn over papirmalen før du tråkler det på plass (se fig. 1). Gjenta med alle stoffbitene.

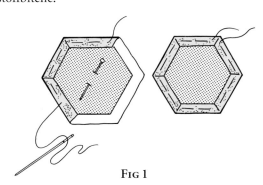

FIG 1

4 Legg to lapper ved siden av hverandre og sy dem sammen med tette, små sting fra vrangen. Legg til neste lapp og så videre (se fig. 2).

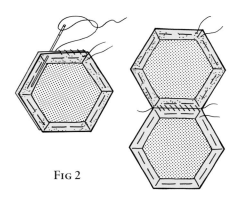

FIG 2

5 Når hele motivet er ferdig kan du fjerne tråklingen og papirmalene.

SY FOR HÅND

Denne fremgangsmåten begynner vanligvis med å lage en mal. Deretter avtegnes malen på stoffet og lappen skjæres, gjøres ferdig, settes sammen med andre lapper til blokker som sys sammen for hånd, strykes og settes sammen i rader.

Lage og bruke maler

Maler for lappearbeider, spesielt de som brukes ved håndsydde arbeider, bør lages av et sterkt materiale fordi den samme malen brukes mange ganger i en quilt. Det er vanlig å bruke et plastmateriale eller halvtykk kartong. Når malene er laget, kan de oppbevares i en klar plastpose merket med motivets navn og størrelse.

Slik lager du en mal i plast Legg plasten over malformen og tegn av de relevante linjene ved hjelp av en linjal og en fin tusjpenn. (Les også *Regler for sømmonn* i neste spalte.) Pass på at hjørnene blir ordentlig merket. Merk trådretning, nummer eller bokstav, navnet på motivet hvis mulig, og 1 av 5, 2 av 5 osv hvis det er relevant. Klipp ut formen ved hjelp av en skarp saks, en skarp kniv eller et skjærehjul. Hvis redskapet er for sløvt for stoff, bruker du det bare til papir og plast.

Slik lager du en mal i kartong Tegn motivet over på papir. Lim det fast på halvtykk kartong ved hjelp av en limstift. Bruk en skarp saks eller et skjærehjul til å skjære ut formen.

Merke og klippe stoffet

Det er viktig å merke og klippe stoffet når du arbeider med lapper, quilting eller applikasjoner. Først må du bestemme trådretningen på stoffet og passe på at du legger malen i forhold til den. Trådretningen løper parallelt med jarekanten på stoffet (ytterkanten på stoffet når det ligger på rullen). Hvis du ikke følger trådretningen vil lappene lett vri seg når du syr dem sammen. Av og til vil det virke underlig med merket for trådretning som finnes på malen for det kan føre til at malen ligger på skrå på stoffet, men det er en grunn til det, og du kan trygt stole på vedkommende som laget mønsteret!

Bruk en spiss blyant og trekk opp en linje rundt

REGLER FOR SØMMONN

De fleste malene i denne boken har merker både for indre (sømlinje) og ytre (skjærelinje) linje slik at sømmonnet er regnet inn.

Når du skjærer maler for maskinsøm skal du ta med sømmonnet og skjære ut malen ved den ytre (stiplede) linjen. Bredden på symaskinens fot gir automatisk 0,6 cm mellom skjærekanten og sømlinjen. Kontroller bredden på symaskinens fot for å forvisse deg om dette.

Hvis du lager lappearbeider ved å bruke teknikken med håndsøm, skal sømmonnet *ikke* inkluderes. Klipp ut malen ved den indre (heltrukne) linjen. Plasser malen på stoffet og tegn rundt. Denne tegnede linjen er den du skal sy etter. Beregn 0,6 cm sømmonn utenfor den tegnede linjen og klipp ut lappen. Du vil bli forbauset over hvor kort tid det tar før du kan gjøre dette på øyemål.

malen. Pass på at hjørnene blir tydelige, det er til hjelp når du setter sammen lappene. Sørg for at det er minst 1,25 cm mellom hver lapp. Dermed er det lettere å skjære dem. Hvis du er i tvil, passer du på at avstanden mellom lappene er større, for du kan alltid skjære bort det som er for mye, men du kan ikke legge til noe. Merk av alle lapper du skal ha ut av et stoff før du begynner å skjære slik at du er sikker på at du har nok stoff. Skjær midt mellom lappene og klipp eventuelt bort det som er overflødig senere.

Sette sammen lappene
Det er to måter å sette sammen lappene på. Du kan forsøke begge, men hold deg til den du liker best.

❖ Legg to lapper rette mot rette og stikk en knappenål gjennom to hjørner. Vend lappene slik at du kan kontrollere at det blir riktig på retten. Stikk knappenålen loddrett gjennom lappene slik at den peker enten opp eller ned.

❖ Legg to lapper rette mot rette og stikk en knappenål gjennom det høyre hjørnet (eller det venstre hvis du er venstrehendt). Vend lappene slik at du kan kontrollere at det blir riktig på retten. Før nålen langs sømlinjen på begge sider av lappene. Stikk inn en annen knappenål 1,25 cm fra kanten og og sørg for at den kommer opp i det andre hjørnet.

Sette sammen en mønsterblokk
Enten du lager blokker du har tegnet selv, eller følger trykte fremgangsmåter, må du ha prosedyren for sammensettingen klart for deg. Det kan være nyttig å feste lappene til en eller annen type porøs plate mens du arbeider. Etter hvert som blokkene blir ferdige, fester du dem på platen slik at du ser at arbeidet går fremover. Denne metoden er nyttig hvis du arbeider med store blokker med mange lapper.

Sy for hånd
Når du skal sy lappene sammen for hånd, bruker du enkle kastesting med et enkelt attersting for hver annen cm. Det gir ekstra styrke. Bruk en fin, jevn tråd i ren bomull og en relativt tynn nål. Klipp av en tråd på ca. 45 cm og knyt en knute i enden. Hold godt i lappene med den ene hånden og fjern den første knappenålen. Stikk inn nålen fra baksiden, 0,3 cm fra hjørnet langs den merkede linjen, og lag et attersting tilbake til hjørnet, vend av og til for å kontrollere at du syr på den merkede linjen. Sy videre langs linjen og vend tilstrekkelig antall ganger til du er sikker på at du syr på linjen. Lag et attersting innimellom og ta ut knappenålene etter hvert som du kommer til dem. Når du er ferdig, lager du et nytt attersting og lar nålen løpe gjennom løkken på tråden i siste sting slik at den festes. Sy sammen lappene som utgjør en blokk i de ulike fremgangsmåtene og stryk blokkene.

Stryke
Når du stryker lappearbeider er det viktig å være lett på hånden, for ikke å ødelegge lappene. I motsetning til kjolesøm, hvor sømmene alltid strykes fra hverandre, skal sømmene i lappeteknikk strykes til samme kant, vanligvis over til det mørkeste stoffet. Dermed blir sømmene sterkere og mindre synlige på retten. Når du har strøket bitene kan du sy sammen radene.

Fingerpressing Dette er nyttig når du syr korte sømmer, spesielt for hånd. Bruk fingrene til å legge sømmene over på en side (også her mot det mørkeste stoffet slik at det ikke skinner i gjennom det lysere). Du kan også bruke den butte kanten på en linjal til å stryke over sømmen.

Stryke ferdige blokker Strykingen kan ha mye å si for helhetsinntrykket av det ferdige lappearbeidet. Hvis du stryker for hardt risikerer du å strekke stoffene slik at de vrir seg. Stryk forsiktig på vrangen av lappearbeidet og gå med lett hånd over sømmene. Når vrangen er ferdig kan du fortsette med retten, fortrinnsvis i én retning.

Sy sammen rader
Når du skal sy sammen rader med lapper, legger du lappene rette mot rette og setter en knappenål der søm og hjørne møtes. Sett nåler på alle slike steder

langs hele raden og i de markerte sømlinjene mel-
lom hjørnenålene. Sy sammen med kastesting og et
og annet attersting slik det allerede er forklart under
avsnittet *Sy for hånd*. Ved hver søm lar du nålen gå
gjennom sømmonnet og lager et attersting gjennom
og ut på den andre siden. Du skal ikke sy igjen søm-
monnet. Når du er ferdig, stryker du den fullførte
raden.

SY PÅ MASKIN

I dag er det lov å bruke sysmaskin når man arbeider
med lappearbeider, uansett hva puritanerne måtte
mene. Til quiltede tepper som vil bli utsatt for mye
slitasje, eller som må bli ferdige i en fei, er det ingen-
ting som slår maskinsøm. Følg fremgangsmåten
nedenfor slik at hele prosessen både går raskere og
enklere. Det er knapt noe som er så nedbrytende
som å måtte ta opp maskinsøm!

Bli kjent med symaskinen din Les håndboken
som fulgte med maskinen og gjør deg kjent med
eventuelt ekstrautstyr eller spesialfunksjoner. Øv
deg på noen stoffbiter slik at du håndterer maskinen
med sikker hånd. Pass på å vedlikeholde maskinen,
spesielt etter en større syjobb.

Gjør deg klar Sørg for å sitte godt. Spol opp til-
strekkelig med undertråd før du begynner slik at du
ikke blir avbrutt i arbeidet. Bruk en nøytral eller
kontrasterende farge på tråden. Det er viktig at du
lager en blokk som du øver deg på før du går i gang
med et stort arbeide, slik at du får kontrollert at du
har oppfattet fremgangsmåten. Stryk blokken og
mål den slik at du er sikker på at den får den stør-
relsen den skal ha.

Sømmonn Sammensying på maskin krever
alltid 0,6 cm sømmonn og det vel verdt å kontrollere
at foten på din maskin har eksakt denne bredden.
Hvis maskinen ikke er utstyrt med en slik fot, og det
ikke finnes som ekstrautstyr, kan du plassere en an-
viser på platen ved maskinens fot. Når du skal lage
en slik måler du nøyaktig 0,6 cm fra kanten av et
papirark. Før du trer maskinen syr du langs denne
linjen på 0,6 cm fra arkets ytterkant til du har rundt

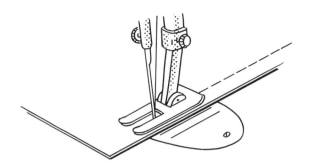

FIG 3

7 cm på hver side av maskinfoten (se fig. 3). Du kan
feste et stykke maskeringstape langs papirkanten
som vil fungere som en anviser. Hvis du vil, kan du
feste flere lag over hverandre slik at du får en kant
som stoffet kan gli langs med.

Nøyaktige mål Du trenger ikke å merke
sømlinjen når du syr sammen lappene på maskin,
men det er viktig at du har skåret lappene i nøy-
aktig størrelse. Sørg for at malene har tatt med
sømmonnet på 0,6 cm, noe alle maler for maskin-
søm i denne boken har. Hvis du skal bruke malene

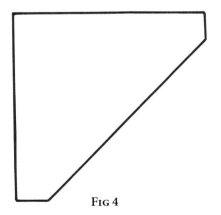

FIG 4

for maskinsøm, kan det være nyttig å skjære bort
spissene på malen til innenfor 0,6 cm i forhold til
sømlinjen (se fig. 4).

Ta hensyn til trådretning Når du plasserer malen
på stoffet, må du passe på trådretningen. På malene i

denne boken er den avmerket med en lang pil. Lengderetningen på pilen skal ligge parallelt med ytterkanten på stoffet, slik at lappene skjæres med trådretningen og ikke på skrå (da blir stoffet mer elastisk).

Skjære Når du skal skjære lappene dine, lager du først en mal (se side 17). Legg malen på stoffet og tegn rundt med en blyant. Alternativt kan du legge malen under en skjærelinjal og skjære langs den med et skjærehjul (se side 16). Dermed kan du skjære ut flere stofflag samtidig.

Tenk fremover Du må alltid planlegge nøyaktig i hvilken rekkefølge hver blokk skal settes sammen. Mange av blokkmønstrene i denne boken har et diagram. Du bør *alltid* lage en prøveblokk først, slik at du gjør deg kjent med rekkefølgen. Når den er ferdig, kan du måle den slik at du er sikker på at den har riktig størrelse. For eksempel skal en ferdigsydd blokk på 30 cm måle 31,2 x 31,2 cm med sømmonnet.

Maskinsøm Legg de to første lappene som skal sys sammen rette mot rette og plasser dem under symaskinfoten. Senk nålen forsiktig til den er i stoffet. Dermed unngår du at tråden løper ut av nålen eller at de første stingene blir en bunt i hullet på stingplaten.

Hvis du skal sy sammen mange lapper, er det enkelt å lage en kjede og sy dem sammen etter hverandre. Sy den første sømmen slik det forklares ovenfor, og sy til du kommer til slutten av stoffet. Du skal *ikke* heve nålen fra stoffet. Legg neste lappepar inntil og plasser dem under maskinnålen mens du syr videre (se fig. 5). Sannsynligvis vil maskinen sy noen sting i luften, men på denne måten kan du sy par etter par med lapper. Fortsett til du er ferdig og klipp dem fra hverandre. Stryk sømmene mot det mørkeste stoffet der det er mulig. Gjenta fremgangsmåten med alle bitene i arbeidet.

Når du har strøket bitene, kan du plassere dem i riktig rekkefølge og begynne å sy dem sammen til større enheter. I en blokk med for eksempel ni lapper, altså tre rader med tre lapper i hver, syr du øverste, midterste og nederste rad. Til slutt syr du de tre radene sammen.

Når du skal sy sammen biter på maskin, fester du dem sammen med knappenåler og forsøker å få sømmonnet til å gå i hver sin retning (se fig. 6). Dermed vil de passe bedre sammen og sømmen blir flatere.

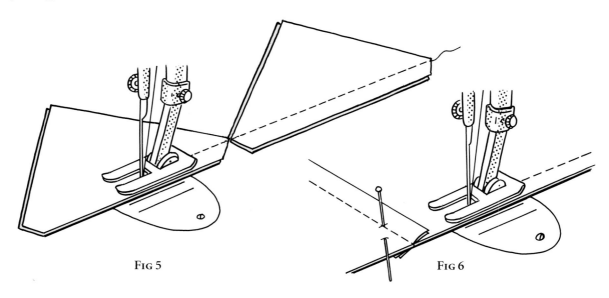

FIG 5　　　　　　　　　　　　　　　FIG 6

QUILTING FOR HÅND

Quilting består av to stofflag med et fyllmateriale i midten, og disse tre lagene holdes sammen ved hjelp av enkle små sting i rette linjer eller vakre, innviklede mønstre som man ser i tradisjonelle engelske quilter. Klær som sys av quiltede tepper er lette og varme, og har i de senere år igjen kommet på moten. Quilting er populært fordi teknikken kan benyttes til mange formål, både praktiske og dekorative.

QUILTEPROSESSEN

Quilteprosessen begynner med forberedelsene og omfatter merking av mønster, sammentråkling av quiltlagene og selve quiltingen. Hvis du har tenkt å quilte et lappearbeide kan du quilte med stikninger. I så fall hopper du over neste trinn, med unntak av alle steder (vanligvis områder med rolige stoffer eller større stoffområder) hvor du skal ha et mer avansert mønster.

Merke quiltemønsteret

På side 16 finner du råd om hvordan du kan forstørre og overføre quiltemønstre. Stryk stoffet som skal være det øverste laget i quilten og legg det på et plant underlag hvor du kan overføre quiltemønsteret ved å bruke en av disse fremgangsmåtene:

❧ Det enkleste er å tape mønsteret til et lysbord, et godt belyst vindu eller et glassbord med en lampe under. Lyset vil trenge gjennom selv de mørkeste stoffer. Bruk maskeringstape og fest stoffet på mønsteret. Deretter tegner du av mønsteret med en blyant eller en vannløselig tusj.

❧ Bruk fargeblyanter (mørke for lyse stoffer og lyse for mørke stoffer) når du skal tegne rundt malen, og bruk en linjal for å lage rette linjer. Du kan også bruke en vannløselig tusj.

Tråkle sammen

Før du begynner å tråkle sammen lagene må du stryke både øverste og underste stofflag, for du kan ikke stryke dem etter quiltingen. Du må imidlertid *ikke* stryke stoffet etter at du har merket det av med vannløselig tusj, for du kan risikere at varmen får fargen til «sette seg».

Når du skal tråkle sammen lagene i quilten legger du først det underste stoffet med retten ned på et plant underlag (gjerne gulvet hvis arbeidet er stort), sprer ut vatten helt jevnt og til sist det øverste stoffen med retten opp. Tråkle sammen fra oversiden. Unngå å løfte lagene fra underlaget da de lett kan gli fra hverandre. Arbeid fra midten og ut mot kantene i et rutenett (se fig. 7). Tråklingen er viktig for at arbeidet med quiltingen skal gå lettere, spesielt hvis du ikke skal bruke en ramme eller ring.

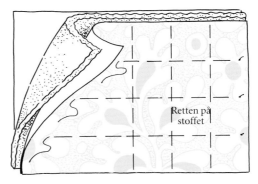

Retten på stoffet

FIG 7

Skal du bruke en ramme eller ring, plasserer du stoffet i den når du er ferdig med tråklingen. Bruker du en ramme, fester du lagene i quilten med mange sikkerhetsnåler. Hvis du bruker ring, plasserer du den midt på quilten. Fest ringen nokså stramt, men pass på at stoffet har litt å gå på.

Quiltesting

Stingene som benyttes til quiltingen skal ha like stor avstand, og det skal være likt på rette og vrange. Det er viktigere at stingene er jevne og like lange enn at de er små, og du finner snart din egen form.

Begynn midt på arbeidet og sy utover. Bruk aldri dobbel tråd, da trådfibrene vil gni mot hverandre slik at tråden blir svakere og ikke sterkere. Lengden på tråden bestemmes av styrken og/eller hvor lett det er å sy.

Plasser en hånd på undersiden av quilten slik at du kan ta i mot nålen og lede den tilbake opp. Du får mindre vondt i langfingeren hvis du bruker fingerbøl på denne hånden også. Den hånden du syr med, styrer nålen fra arbeidets overside. Hvert sting skal gå ned og opp i én bevegelse, ikke bare ned, med unntak av steder med sømmer som gjør quiltingen vanskelig. Med litt øvelse er det mulig å sy flere sting

FIG 8

ULIKE FORMER FOR HÅNDQUILTING

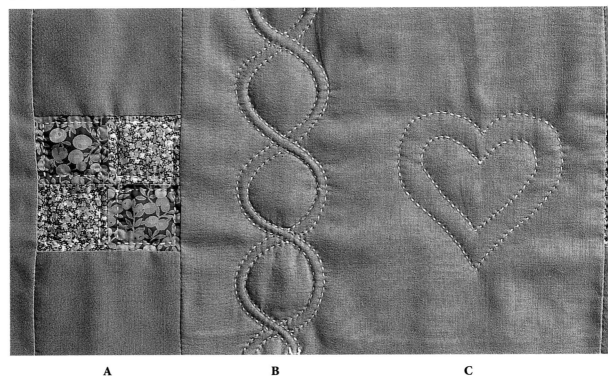

A   B   C

A *Stikninger* Dette brukes ofte sammen med lappearbeider, spesielt hvis lappemønsteret er innviklet. Quiltingen legges ca. 0,6 cm fra sømmen som lappene er sydd sammen med, og lappevirkningen forsterkes samtidig som lagene holdes sammen.

B *Italiensk quilting eller snore quilting* Dette er en teknikk hvor det brukes bløtt garn eller snor som tres inn fra baksiden i kanalene som formes av

sømmen. Dermed får du en høy virkning på de stedene hvor snoren er.

C *Engelsk eller vattert quilting* Dette er den kunstferdige quiltingen slik man finner den i quilter fra Durham og Wales hvor det brukes tilpasset trådfarge på ensfarget stoff.

D *Quilting 'nedi grøfta'* Denne type quilting kan også utføres på maskin og brukes på lappearbeider

av gangen og finne en jevn rytme. Når du øver deg på quiltestingene kan du variere stinglengden til du finner en du er fornøyd med. Jevnheten er viktigere enn stinglengden (se fig 8, side 22).

Noen ganger er sømmonnet noe herk som vises gjennom på retten og som gjør det vanskeligere å quilte. Bruk en lang tynn nål og la den gli inn mellom det øverste stoffet og sømmonnet, og glatt ut

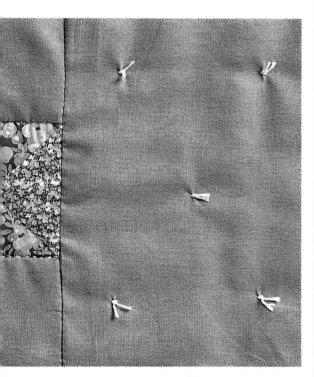

E

hvor man ikke ønsker stikningseffekten, men må holde lagene og vatteringen sammen. Stingene sys med en tilpasset farge i sømlinjen hvor lappene er sydd sammen.

E *Knuter* Hvis du arbeider på et tykt, vattert arbeide som f.eks. et krabbeteppe, er det ofte enklest å holde lagene sammen av knuter. Knutene lages med 15 cm mellomrom ved hjelp av båtmansknop (se side 34).

LAGE EN QUILTEKNUTE

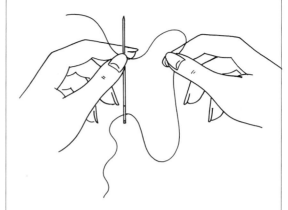

Fig. 9a Træ tråden i nålen og legg den lange tråden over nålen.

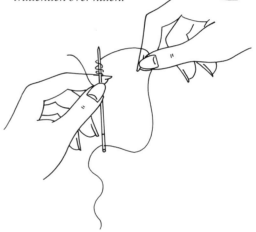

Fig. 9b Surr tråden flere ganger løst rundt nålen.

Fig. 9c Dra nålen forsiktig gjennom trådviklingen, og du får en flat knute.

Sashiko knutepute
(se side 116)

sømmonnet under riktig lapp.

    Slik begynner du Lag først en «quilteknute» (se fig. 9a, b og c på side 23) og stikk inn nålen 1,25 cm fra begynnelsen på mønsteret og før den opp der mønsteret begynner. Trekk til fort og hardt slik at knuten går igjennom underste stofflag og havner inne i fyllet.

    Slik avslutter du Når du har sydd siste sting, lager du et lite attersting som bare går gjennom det øverste laget og fyllet. Før spissen på nålen gjennom løkken (for å låse den) og stikk nålen ned gjennom fyllet før du klipper av tråden.

QUILTING PÅ MASKIN

På samme måte som med sammensying av lapper på maskin, kan quilting på maskin være en fullt bruk-bar teknikk. Fordi den er så rask sammenlignet med håndsøm, vil den spare deg for mye tid. Du kan få fine dekorative effekter ved å benytte det store ut-valget av metalliske, blanke eller mangefargede tråd-typer som finnes på markedet. Du kan også bruke dekorsøm når du skal quilte, og i håndboken som fulgte med maskinen din finner du flere råd. Det finnes også bøker om maskinquilting på biblioteket. Det kan imidlertid være ganske avskrekkende å forsøke seg på maskinquilting, for hvis noe går galt

tar det timer å sprette det opp igjen. Derfor er det *svært* viktig at du prøver deg fram på noe over-skytende stoff til du er sikker på at du behersker teknikken . Når det er sagt er det ikke så vanskelig å få et godt resultat hvis du følger visse regler.

❖ Sørg for at lagene er godt sammentråklet slik at de ikke glir fra hverandre. Før du begynner må du passe på at du har en god arbeidsstilling hvor du slipper å heise skuldrene mens du syr.

❖ Bruk middels lang stinglengde (rundt 2–3 mm). Skal du for eksempel sy rette linjer like ved sømmene som holder lappene sammen, bruker du vanlig tråd-spenning.

❖ Hvis du skal quilte på frihånd og lage for eksempel motiver med buer, senker du transpor-tøren på maskinen og fører stoffet med hendene. Det kan være nyttig å bruke en ring som holder stoffene stramme. De fleste symaskinhåndbøker inneholder informasjon om hva maskinen kan gjøre og hvordan.

❖ Det synes lettere å holde litt tempo på arbeidet og det gir bedre resultat enn å sy sakte og nølende. Arbeid deg fra den ene til den andre siden.

❖ Avslutt i ytterkanten hvis mulig, for å redusere antallet løse tråder du må feste. Klipp av trådene i stoffkanten, for de vil bli låst i kantingen. Skal du feste trådender midt på arbeidet, trekker du den ene tråden gjennom stoffene slik at begge er på baksiden, knyter en knute, trær dem i en nål og trær dem inn i fyllet.

APPLIKASJON

Applikasjon er å feste et stykke stoff på et annet for å oppnå en dekorativ virkning. Det finnes mange ting å bruke applikasjoner på, alt fra barneforklær til tevarmere og store quilter, og det brukes flere metoder som beskrives nedenfor.

Applikasjon med knapphullssøm

Knapphullssøm brukes rundt hele det applikerte motivet både for å fremheve motivet og for å skjule sårkanten på stoffet. Derfor behøves det ikke sømmonn. Det er lettere å gjøre det når motivet er festet til underlaget ved hjelp av vlisofix. Knapphullssting (se side 29) er effektivt på arbeider som vaskes mye eller trenger ekstra farger til pynt.

Applikasjon over papirlapper

Ved denne typen applikasjon overføres det applikerte motivet til stoff, uten sømmonn. Deretter klippes stoffet med 0,6 cm sømmonn. Plasser papiret på vrangen av stoffet, og brett sømmonnet inn over papiret. Klipp om nødvendig bort hjørner og splitt opp buer. Tråkle hele veien rundt, og sy fast til underlaget med små usynlige faldesting. Fjern tråklestingene. Med en spiss saks lager du en åpning til bakgrunnsstoffet og fjerner papiret. Til slutt nester du sammen åpningen. Denne fremgangsmåten er egnet for innviklede mønstre og finere klesplagg.

Vrengt applikasjon (med vlisofix)

Til denne metoden trenger du en myk strykefri vlisofix. Tegn av motivet på vlisofixen og skjær det ut med ca. 2,5 cm sømmonn hele veien rundt. Skjær ut stoffet i samme størrelse. Plasser vlisofixen oppå retten av stoffet og sy hele veien rundt den markerte linjen for hånd eller med maskin, og sørg for at det ikke er noen gliper eller sprekker. Renskjær sømmonnet slik at det ikke er mer enn 3 mm. Lag et snitt midt i vlisofixen og vreng stoffet gjennom åpningen. Bruk en heklenål til å jevne sømmene, og stryk motivet. Sy det fast på bakgrunnsstoffet med små faldesting.

Dette er en enklere, sterkere og mer varig form for applikasjon. Den er egnet for ganske fine arbeider som skal utføres raskt. Denne typen applikasjon kan også sys på med maskin ved hjelp av dekorsøm eller usynlig faldsøm.

Applikasjon på maskin

Fester du applikasjonene ved hjelp av maskinsøm, får du et sterkt resultat som tåler hyppig vask, og er egnet for bl.a. barneklær. Tett og jevn sikksakksøm er best å bruke, og den blanke virkningen fremhever applikasjonen. Stryk motivet på plass ved å bruke vlisofix og det er klart til å sys på.

Frysepapir

Brukes hovedsakelig ved applikasjoner og er nyttig for å få arbeidet så nøyaktig som mulig. Hver form har en egen mal. Bruk malen og skjær ut riktig antall lapper som sys sammen til en blokk.

KANTING

Kanting med rette bånd eller skråbånd er den vanligste måten å avslutte et lappearbeide på, spesielt hvis det er quiltet. Kantingen løper rundt alle ytterkanter og omfatter alle lag. Vanligvis sys den første sømmen som fester båndet til arbeidet med maskin (se fig. 10a, side 26), og deretter brettes båndet rundt og over til baksiden (se fig.10b) hvor det festes med faldesting.

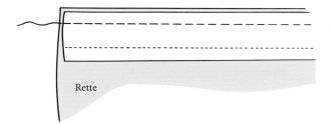

Rette

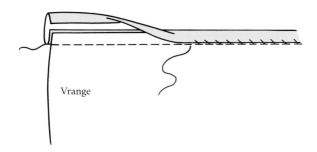

Vrange

Fig 10a & 10b

Bruke skråbånd

Skråbånd er fleksible og gir en jevnere overflate, spesielt i kurver. De kan kjøpes ferdige, eller du kan lage dine egne, se nedenfor.

Kante med rette bånd

Dette er egnet hvis du vil kante quilten med et av stoffene som er brukt i arbeidet. Klipp fire remser à ca. 20 cm lenger enn lengden på quilten og 4 cm brede, og sy dem på plass med samme fremgangsmåte som for skråbånd, se ovenfor.

Kante med dobbelt stoff

Hvis du lager en quilt som skal brukes mye, anbefaler jeg å kante dobbelt. Da brukes det dobbelt stoff som holder lenger. Klipp stoffremsen 6,5 cm bred, og brett den dobbelt på lengden slik at retten vender ut. Legg sårkantene mot quiltens sårkant slik det vises i fig. 11. Sy med maskin, brett over og fest på baksiden med faldesting som vist i fig. 10b over.

Lage egne skråbånd

Det er nyttig å kunne lage sine egne skråbånd hvis du arbeider med farger som du ikke finner i handelen. Det er ikke så lett å beregne mengdene, men

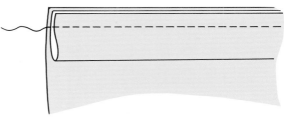

Fig 11

ganske mange meter bånd kan lages av relativt beskjedne stoffmengder. Det finnes utstyr for å lage skråbånd, og ved hjelp av dette kan du stryke og automatisk få en fald på hver langside. Det er verd å investere i dette utstyret hvis du gjerne vil ha den pressete falden.

Skal du lage omtrent 9 m skråbånd, følger du fremgangsmåten i fig. 13a–e på side 27.

AVSLUTTE HJØRNER

For å få hjørnene pene må du legge et kantbånd over et annet. Deretter bruker du blyant og linjal og trekker en linje fra quiltens hjørne til det overlappende hjørnet (se fig. 12). Bytt om på kantbåndene slik at det underste kommer øverst, og tegn linjen på nytt. Sy etter streken. Sett sammen og sy fra det innerste til det ytterste av hjørnet. Reduser sømmonnet til 0,6 cm og stryk.

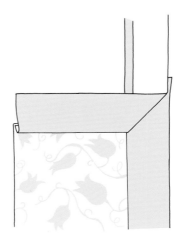

Fig 12

SLIK LAGER DU SKRÅBÅND

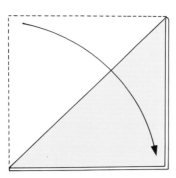

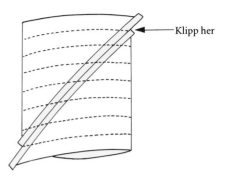

Fig.13a *Brett et kvadratisk stoffstykke på 60 cm i to på diagonalen, og del stoffet i bretten slik at du får to trekanter. Sy kantene sammen. Bruk 0,6 cm sømmonn.*

Fig.13d *Begynn med kanten som er forskjøvet og klipp langs strekene.*

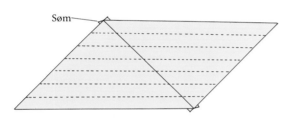

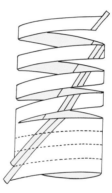

Fig.13b *Stryk sømmen fra hverandre slik at stoffet får en rombeform som vist her. Merk linjer med 4 cm mellomrom over hele stoffet.*

Fig.13e *Når du klipper langs strekene får du en lang sammenhengende remse.*

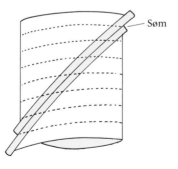

Fig.13c *Legg rettene mot hverandre og sy sammen kantene. Pass på at du forskyver en linje skråbåndbredde slik at du lager en stofftube.*

Skråbåndkanting på London trappe-quilt (side 31)

BRODERING OG SIGNERING AV ARBEIDENE

Broderiteknikker går fint sammen med lappe-arbeider, quilting og applikasjoner. De kan brukes for å understreke detaljer på blant annet blomster, dyr, fugler eller for å fremheve det ferdige lappe-arbeidet eller applikasjonen. Enkelte sting som brukes i denne boken vises under *Eksempler på broderisting* som du finner nedenfor, men i en bok om broderier vil du finne ytterligere inspirasjon.

Maskinbrodering kan i stor grad brukes til å oppnå samme virkning som ved håndbrodering. De fleste moderne symaskiner har i det minste et be-grenset utvalg innebygde broderisømmer, og de mer avanserte har et imponerende utvalg. Maskin-brodering kan brukes ved quilting fordi maskin-sømmen holder alle lagene i quilten sammen. Du kan forsøke en dekorsøm til forandring fra vanlig rettsøm neste gang du skal quilte på maskin.

Alle arbeider du lager har en hensikt, enten de er til eget bruk, skal bli gaver eller gis til lotteriet. Derfor er det lurt å bruke tid på å signere arbeidet med navn, dato, hvem det er til og eventuelt i hvilken anledning. Dette kan være nyttig for deg, for det er overraskende hvor fort man glemmer når man har laget et bestemt arbeide. De som får dine produkter vil også sette pris på denne dokumentasjonen. Man kan dessuten tenke seg at nye eiere som måtte komme i tidens løp, også gjerne vil vite noe om opphavet!

EKSEMPLER PÅ BRODERISTING

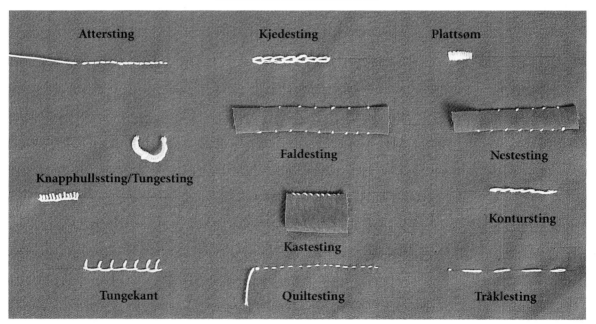

Dette er prøver på alle typer sting som brukes i denne boken

STINGTYPER

Attersting

Dette er en rett sammenhengende rekke med små tette sting. Før nålen opp ved punkt 1, ned ved punkt 2 (som er slutten av forrige sting) og opp ved punkt 3.

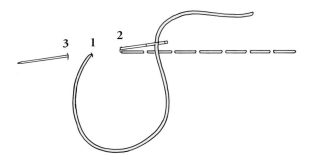

Tungesting

Dette er en allsidig og meget anvendelig søm som kan varieres i tetthet og stinglengde. Før tråden ut på nederste linje i diagrammet. Stikk nålen ned i stoffet ved punkt 1 og opp ved punkt 2. La tråden ligge under nålen slik at det dannes en løkke.

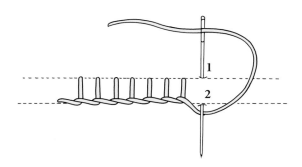

Knapphullssting

Dette ser til forveksling ut som tungestinget over, men stingene skal sys fra deg, og plasseres tettere.

Kjedesting

Kjedesting er nyttige når du lager mønstre og teksturer eller bare trenger en enkelt søm. Begynn fra retten og før nålen ned gjennom stoffet ved punkt 1. Før nålen opp ved punkt 2, legg tråden under nålen. Fortsett med neste sting ved å stikke nålen ned ved punkt 2 og opp litt bortenfor.

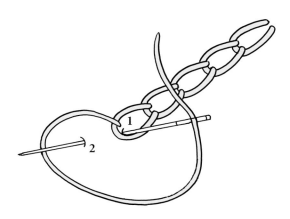

Faldesting

Lag først et lite loddrett sting som går fra punkt 1 til 3 slik tegningen viser. Før nålen ut ved punkt 1, inn ved punkt 2, ut ved punkt 3 og tilbake inn ved punkt 4. Før nålen ned vannrett for å begynne neste sting.

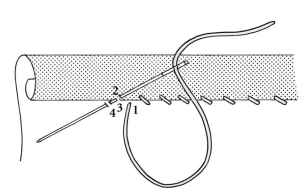

Kastesting

Dette er en metode som fester to stofflapper sammen og er en mye brukt håndsøm ved lappeteknikker. Lag små, nette sting gjennom begge stofflag langs kanten som skal sys sammen.

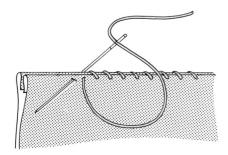

Quiltesting

Quiltesting er hovedsakelig en søm med små nette sting hvor tråden løper over og under stoffet. Før nålen ut på forsiden av stoffet ved punkt 1 og stikk den inn i stoffet ved punkt 2. Før nålen ut ved punkt 3 og gjenta.

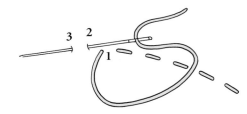

Plattsøm

Dette er lange jevne sting som dekker stoffet godt og er fine til å fylle områder med. Rette sting (se neden-for) plasseres tett sammen slik at formen som skal broderes fylles helt, og kantene blir pene. Unngå for

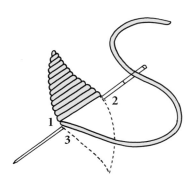

lange sting. Før nålen ut på retten ved punkt 1 og stikk den inn ved punkt 2 og deretter ut igjen ved punkt 3 og så videre.

Kontursting

Denne sømmen brukes når man skal lage kontur på blomsterstilker, kronblad og lignende. Den kan også brukes som fyllsøm. Arbeid fra venstre til høyre med små jevne sting langs en avmerket eller tenkt linje. Tråden skal alltid komme opp på venstre side av fore-gående sting. Før nålen ut på retten ved punkt 1. Stikk den inn ved punkt 2 og ut igjen ved punkt 3 osv.

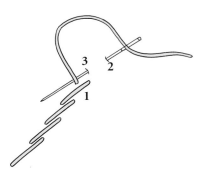

Rette sting eller gobelinsting

Disse stingene kan brukes enten regelmessig eller uregelmessig. Stingene kan være av ulike lengder, men bør ikke være for lange eller for løse. Før nålen ut på retten ved punkt 1. Stikk den inn ved punkt 2 og ut igjen ved punkt 3 og så videre.

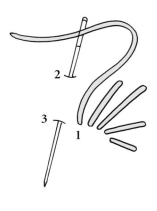

London trappe-quilt

*London trappe-quilt er et gammelt tradisjonelt
lappemønster som er enkelt å lage selv om den ferdige
virkningen kan se komplisert ut. Det er et velegnet prosjekt å begynne
med. Her har jeg brukt mønsteret til å lage et babyteppe og en mindre
utgave som dukken kan få. Hvis du vil lage et annet mønster enn
det som er vist på bildet, må du endre
stoffmengdene tilsvarende.*

Ferdig størrelse: babyteppe 138 × 76 cm
dukketeppe 47 × 36 cm

TIL BABYTEPPET TRENGER DU
Fire stoffer, hver på 50 cm × 112 cm
Stoff til kanting (velg et av stoffene som brukes i
   quilten) 75 cm × 112 cm
Vatt 140 × 80 cm
Fôrstoff 150 × 112 cm
Ferdigkjøpt eller hjemmelagde skråbånd 5 m
Tråd som passer i fargen
Grunnleggende syutstyr og om ønskelig en
   symaskin

TIL DUKKETEPPET TRENGER DU
Fire stoffer, hver på 25 × 112 cm
Stoff til kanting (velg et av stoffene som brukes i
   quilten) 25 × 112 cm
Vatt 45 × 35 cm
Fôrstoff 45 × 35 cm
Ferdigkjøpte eller hjemmelagde skråbånd 2 m
Tråd som passer i fargen
Grunnleggende syutstyr og gjerne en symaskin

Slik lager du quiltene
Baby- og dukkequilten lages på samme måte med
unntak av selve quiltingen hvor du finner separate
beskrivelser av fremgangsmåtene.

Merk: Reglene for sømmonn ved håndsøm eller
maskinsøm er viktige her (se rammetekst side 17).

1 Begynn med å vaske, tørke og stryke alle stof-
fene. Bruk mal A (til babyquilten) og mal B (til
dukkequilten) og skjær ut 24 blå, 24 røde, 24 grønne
og 24 gule lapper av stoffene. Hvis du bruker et
skjærehjul bør du slå opp på side 16. Sorter lappene i
fire bunker etter hver farge. Nummerer stoffene, det
er til hjelp når du skal sy sammen blokkene.

2 Skjær ut stoffet til kantingen slik:
Til babyquilten skjærer du fire sidekanter på
67 × 9 cm (de skal sys sammen på midten), og to
topp- og bunnkanter på 112 × 9 cm.
   Til dukkequilten skjærer du ut to sidekanter på
47 × 4 cm og to topp- og bunnkanter på 32 × 4 cm.

3 Se på bildet side 34 og sy de to første lappene sam-
men for hånd eller med maskin (se *Sy for hånd*,
side 17 eller *Sy på maskin*, side 19). Dette gir deg én
enhet. Gjenta med alle parene som utgjør øverste rad.

4 Ved alle sømmer stryker du begge søm-
monnene mot det mørkeste stoffet (se *Stryke*,
side 18). Sy sammen enhetene slik at du får øverste
rad, og sammenlign ofte med bildet på side 34 (se *Sy
sammen rader*, side 18). Stryk sømmene. Gjenta
trinn 3 og 4 for de øvrige radene.

5 Legg alle radene ut på gulvet og pass på at de kommer i riktig rekkefølge. Sy dem sammen og stryk alle sømmer nøye.

6 Ta to remser med stoff til sidekantene og sy sammen til en lang remse, og gjør tilsvarende med det andre paret. Fest et kantebånd med knappe-nåler til quiltens langside. Beregn 0,6 cm sømmonn, sy fast og gjenta på den andre siden. Hvis du stikker knappenålene inn på tvers kan du sy rett over dem og du sparer deg dermed for tråklingen.

7 Skjær av endene på kantbåndene slik at de blir like lange som quilten. Fest med nåler og sy fast øverste og nederste kant. Stryk sømmen mot de mørkeste stoffene.

Quilte babyteppet

8 Merk av øverst på quilten (se *Quilteprosessen*, side 21). Bruk diagrammet på side 35 som mal. Bruk en spiss blyant eller hvit fargeblyant og overfør quiltelinjene til stoffet ved hjelp av en linjal (se *Merke quiltemønsteret*, side 21).

9 Lag en mal av kurven i diagrammet på side 35 og skjær den ut (se *Lage og bruke maler*, side 17). Bruk denne malen når du skal overføre linjene for quiltingen på kantene.

10 Nå kan du feste sammen lagene i quilten (se *Tråkle sammen*, side 21). Stryk fôrstoffet og legg det med retten ned på arbeidsbordet eller på gulvet. Fordel fyllmaterialet jevnt over hele fôrstoffet og pass på at det ligger midt på. Plasser den ferdig-sydde quilten med retten over fyllmaterialet, og begynn fra midten. Fest lagene sammen med knappenåler eller sikkerhetsnåler og tråkle de tre lagene sammen på kryss og tvers.

MAL B
DUKKEQUILT

0,6 cm sømmonn

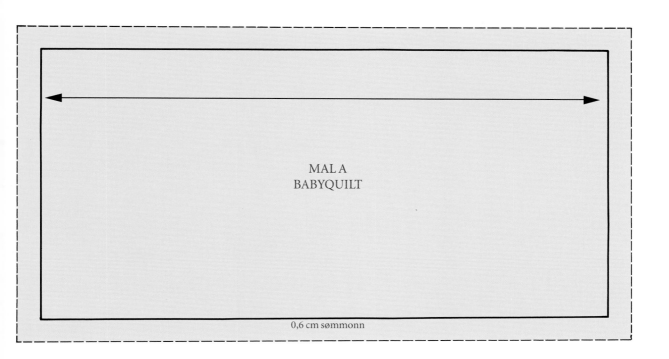

MAL A
BABYQUILT

0,6 cm sømmonn

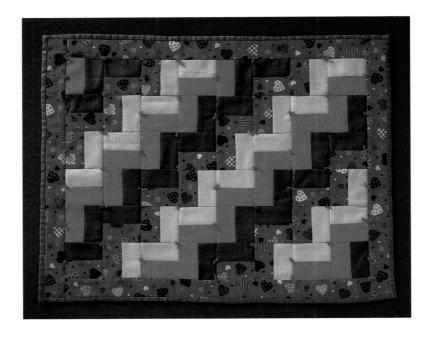

11 Når du skal fullføre quiltingen følger du fremgangsmåten på side 21, og quilter langs alle de markerte linjene på toppen av quilten.

12 Når du skal fullføre babyquilten følger du fremgangsmåtene for kanting på side 25.

Quilte dukketeppe
Lagene i dette arbeidet er mer knyttet enn sydd sammen. Hvis du arbeider med noe som har relativt tykt fyllmateriale, for eksempel et krabbeteppe, er det lettere å holde lagene sammen med knuter. Disse lages ved hjelp av et sting. Bruk knapphulltråd eller

hardspunnet bomullsgarn og lag en båtsmannsknop. Plasser knutene etter hverandre på linje med 15 cm mellomrom eller bruk lappene som målestokk. Knuten kan ligge enten på over- eller undersiden.

13 Fest de tre lagene sammen slik det er beskrevet i trinn 10. Ved hjelp av en båtsmannsknop (se fig. 1), sørger du for at tråden går gjennom alle de tre lagene slik bildet viser.

14 Kant quilten ved å følge fremgangsmåten for kanting på side 25.

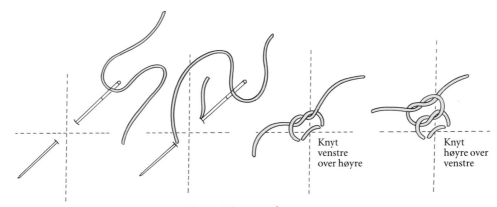

Knyt
venstre
over høyre

Knyt
høyre over
venstre

FIG 1 *Båtmannsknop*

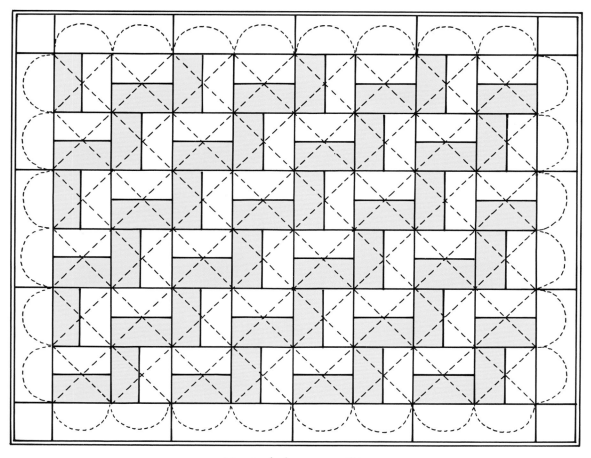

Mønster for lapper og quilting

MAL FOR BABYTEPPETS KANTQUILTING

Indigoblå skulderveske

*Denne skuldervesken er laget ved hjelp av det bløte jeansstoffet fra en
utvasket skjorte og mange blåmønstrete stoffer. Stoffet med bestikket tok jeg
med for moro skyld. Du kan velge fargene, og det er ikke så dumt å bruke litt
tid på å eksperimentere. Det er slett ikke vanskelig å lage vesken hvis du følger
fremgangsmåten nøyaktig, og den vil dessuten være et artig tilskudd
til dine assesoarer.*

Denne vesken er laget ved hjelp av en teknikk som
kalles fantasimønster eller crazy quilt. Den er også
brukt i *Julestrømpen* på side 61. Teknikken går ut på
at du syr lappedelen fast på et underlag, enten for
hånd eller med maskin. Den ferdige lappedelen kan
brukes som du måtte ønske. Du kan stryke alle søm-
monnene under og applikere motivet på plass som
et hovedmotiv eller sy det sammen med andre
lappearbeider.

Ferdig størrelse: 28 × 33 cm

DU TRENGER

**Stoff til underlag (ubleket bomull eller gammelt
lakenstoff) 71 × 30 cm**

Vatt 71 × 30 cm

**Stoff til fôr (bruk et av stoffene i lappemotivet eller
et mykt jeansstoff) 71 × 30 cm**

**Denim eller jeansstoff 150 × 90 cm (eller lange biter
som bena på en gammel bukse)**

Biter av stoff med indigo farge

Marineblå tråd

En treknapp

Sikkerhetsnåler

1 Merk av underlagsstoffet ved hjelp av målene
som du finner i fig. 1. Først bretter du stoffet i
to. Deretter kan du enten sørge for at bretten blir
ordentlig skarp, eller tråkle tvers over slik at bretten
blir markert.

2 Mål 7,5 cm ut fra bretten og strek opp en linje
med en kulepenn tvers over bredden på stoffet
(se fig. 1). Dette er linje A. Gjør tilsvarende på den
andre siden av bretten og strek opp linje B. Mål
deretter 7,5 cm fra øverst på stoffet og strek opp linje
C. Mål tilsvarende avstand nederst på stoffet og strek
opp linje D. Til slutt måler du 5 cm inn fra langsiden
på hver ytterkant og tegner linjene C og D.

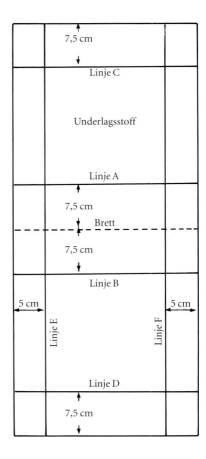

FIG 1

3 Plasser fôrstoffet flatt med retten ned på et arbeidsbord eller på gulvet. Fordel vatten jevnt utover. Legg underlagsstoffet med merkene opppå fyllmaterialet med retten opp, og jevn ut på nytt. Bruk sikkerhetsnåler til å holde de tre lagene på plass.

4 Skjær ut remser av indigomønstret stoff som måler 7,5 × 28 cm, og du kan begynne med fantasimønsteret (crazy quilt).

Fantasimønsteret (crazy quilt trinn 5–6)

5 Plasser den første blå stofflappen i en vinkel langs linje A, men pass på at den dekker linjen (se fig. 2). Sy den på plass. Plasser neste blå lapp rette mot rette med den første. Fest med nåler og sy sammen. Benytt 0,6 cm sømmonn fra sårkantene. Fest lappene mot underlagsstoffet. Løft lapp nummer to og før begge sømmonnene til samme side. Føy til en tredje stoffremse og plasser den rette mot rette med lapp nummer 2, men i en litt annen vinkel (se bilde side 37). Gjenta sying og pressing av sømmer. Sy

sammen lappene på denne måten til du har dekket underlaget til like over linje C.

6 Gjenta trinn 5 slik at du dekker nedre halvdel av bakgrunnsstoffet fra linje B til linje D. Nå skal du ha to kvadrater som er dekket av lapper med et stykke udekket bakgrunnsstoff mellom.

7 Skjær til et stykke denimstoff på 18 × 30 cm og stryk en fald som er 1,25 cm bred langs hver langside. Plasser denimstoffet på stykket med udekket bakgrunnsstoff, midt over bretten og mellom de to feltene med lapper (se fig. 3). Fest stoffet med knappenåler og sy det fast med stikninger ca. 3 mm fra kanten på hver side.

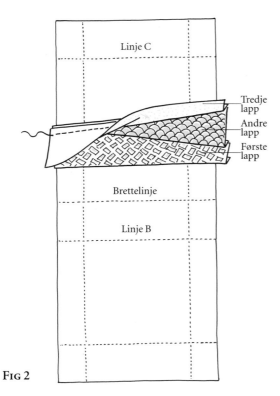

Linje C

Tredje lapp

Andre lapp

Første lapp

Brettelinje

Linje B

FIG 2

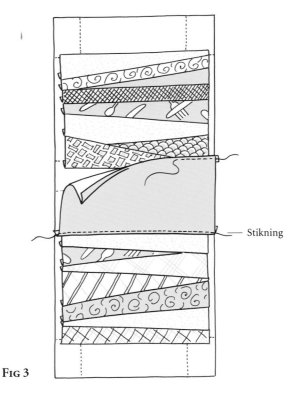

Stikning

FIG 3

8 Skjær to remser med denimstoff på 6 × 74 cm og legg dem langs hver side av lappedelene på linje E og F, rette mot rette. Tråkle eller bruk nåler, sy sømmen og stryk den (se fig. 4, side 39).

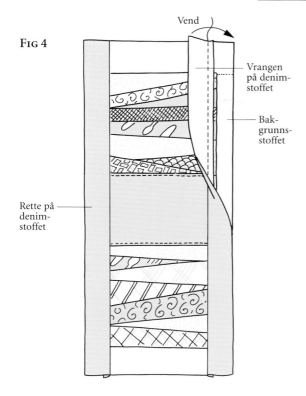

Fig 4

Vend

Vrangen på denim- stoffet

Bak- grunns- stoffet

Rette på denim- stoffet

overkanten på hver side. Hvis du syr sømmene to eller tre ganger blir de sterkere. Renklipp og kast over med sikksakksøm for å hindre rakning. Vreng tilbake slik at retten vender ut.

11 Skjær et stykke denimstoff på 5 × 35,5 cm. Brett remsen på langs på midten, rette mot rette. Sett sammen med nåler og sy en søm med 1,25 cm sømmonn. Renskjær sømmonnet til 3 mm og vreng stoffpølsen slik at retten vender ut. Stryk.

12 Skjær tre stykker denimstoff på 117 × 5 cm og lag tre stoffpølser. Bruk fremgangsmåten som er beskrevet ovenfor.

13 Ta de tre lange stoffpølsene og fest dem sammen i den ene enden. Sy frem og tilbake flere ganger. Lag en fast flette av pølsene og sy dem sammen i den andre enden også.

14 Ta den korteste stoffpølsen og skjær av to 5 cm lange stykker. Brett den ene pølsen over én ende av fletten og sy fast. Gjenta med den andre enden. Stikk sårkantene inn i åpningene i sidesømmene på vesken og fest dem godt.

9 Skjær ut to stykker denimstoff på 18 × 30 cm og sy en fald på 1,25 cm langs den ene lang- siden på hvert stykke. Sy denimstykkene rette mot rette på hver side av lappeområdene. La det være 1,25 cm sømmonn, og sett av plass til en åpning på 2,5 cm på den ene siden (slik det er vist i fig. 5). Stryk sømmene. Disse stoffstykkene er lenger enn lappeområdene, men de skal brettes og bli til kant.

15 Brett den gjenværende delen av stoffpølsen i to og sy de siste 10 cm sammen (se fig. 6). Før sårkanten inn i åpningen på 2,5 cm som du laget i trinn 9, og sy fast fra baksiden. Brett stoffet som skal bli til kant over på vrangen, og sy fast med falde- sting.

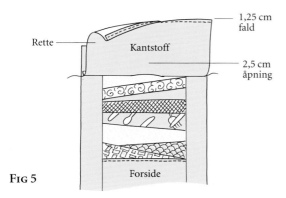

Rette

1,25 cm fald

Kantstoff

2,5 cm åpning

Fig 5

Forside

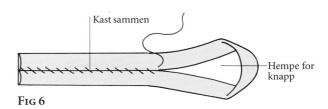

Kast sammen

Hempe for knapp

Fig 6

10 Legg lappedelene mot hverandre, rette mot rette og sy sidesømmene sammen. Sett av plass til en åpning på 1,25 cm 2,5 cm ned fra

16 Stikk hempen inn i åpningen som er bevart, og nest den godt fast til kanten. Fest knap- pen godt, og fjern eventuelle tråklesting.

Deksel med vindmøllemønster

*Dette lekre dekselet som du kan ha over esken med papirlomme-
tørklær, vil ta seg godt ut på toalettbordet. Det er utformet slik at det
dekker en nesten kvadratisk boks, og fargene er valgt med tanke på et
tenåringsrom. Blokken som er brukt er et 8 cm vindmøllemønster.*

Ferdig størrelse: 13 cm høy, 12 cm bred

DU TRENGER
En kvadratisk boks med papirlommetørklær
To ensfargete stoffer som passer sammen,
**   25 × 115 cm av hver farge**
Mønstret stoff 50 × 115 cm
Vatt til mellomfôr
Litt ensfarget stoff til kanting
Tråd som passer i fargen

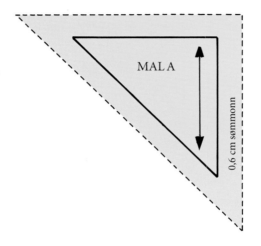

MAL A

0,6 cm sømmonn

1 Skjær tyve lapper av hver av de ensfargete stof-
fene ved hjelp av mal A. Sett sammen lappene
slik det er vist i fig. 1, slik at du får fire vindmølle-
blokker. Stryk forsiktig (se *Stryke*, side 18). Legg de
andre lappene til side foreløpig.

2 Skjær en remse av det mønstrete stoffet på
4,5 × 34 cm. Del i fire på tvers og sy sammen
med vindmølleblokkene slik at du får en lang enhet

som er satt sammen slik: remse + blokk + remse +
blokk + remse + blokk + remse + blokk. Beregn
0,6 cm sømmonn (se fig. 2). Renskjær kantene.

3 Skjær to remser av det mønstrete stoffet, hver
på 6 × 44,5 cm. Legg rette mot rette, sy sammen
på langs og stryk (se fig. 3).

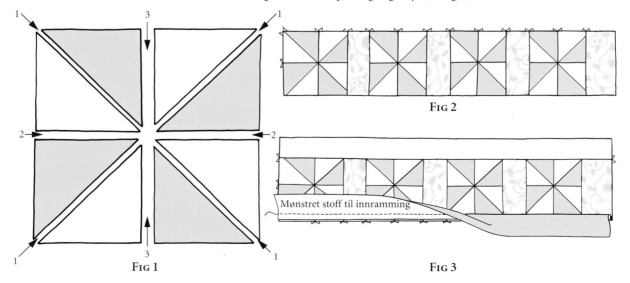

FIG 1

FIG 2

Mønstret stoff til innramming

FIG 3

4 Skjær en bit av det mønstrete stoffet og en bit av fyllmaterialet på 44,5 × 18 cm. Legg det mønstrete stoffet med retten ned, legg fyllmaterialet over og plasser lappedelen øverst med retten opp. Fest lagene sammen med knappenåler og kast over sårkantene. Legg kortsidene mot hverandre og sy på maskin med 0,6 cm sømmonn slik at du får en sylinder. Renskjær sømmonnet og kast over sømmene på maskin.

5 Når du skal lage lokket, setter du sammen de to halvdelene som utgjør den siste vindmøllen, men syr dem *ikke* sammen. Skjær remser av det mønstrete stoffet med 4 cm bredde, og sy fast på tre sider av de halve vindmøllene. Stryk forsiktig og renskjær sårkantene.

6 Skjær to biter med vatt og mønstret stoff i samme størrelse som de to ferdige lappedelene. Legg lagene sammen slik: vatt, lappedel med retten opp, mønstret stoff med retten ned.

7 Sy langs kanten hvor det ikke er mønstret stoff med 0,6 cm sømmonn (fig. 4). Renskjær søm-monnet og vreng det mønstrete stoffet over vatten slik at det blir fôr. Fest de tre lagene sammen. Gjør det samme med den andre halve blokken. Sett de to mot hverandre og kast sammen, men behold

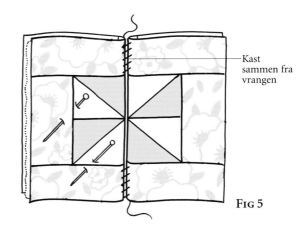

Kast sammen fra vrangen

Fig 5

åpningen på midten (se fig. 5).

8 Plasser den ferdige kvadraten på toppen av sylinderen. Pass på at sømmene på lokket stemmer med sømmene på siden, og fest med nåler.

9 Bruk det ensfargete kantestoffet og skjær fire remser på 15 × 2,5 cm. Legg vrange mot vrange og fest langs en kant på øvre del av sylinderen (se fig. 6) og sy fast med 0,6 cm sømmonn. Gjenta på alle sider. Legg stoffet over hverandre i hjørnene og sy sammen for hånd med små, usynlige sting.

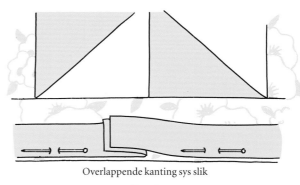

Overlappende kanting sys slik

Fig 6

10 Til kantingen av nedre del skjærer du en bit ensfarget stoff på 2,5 cm × 46 cm. Legg rette mot rette nederst på dekselet, sy på maskin, vend rundt og fald opp for hånd på baksiden. Til slutt setter du i esken med papirhåndklærne.

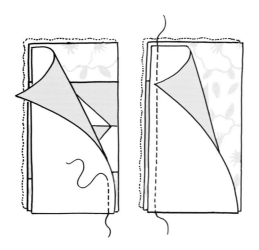

Fig 4

Quilterens øyesten

Her har du en fin gaveidé til de håndarbeidsglade, men den er spesielt egnet for alle som arbeider med quilting, for de syr så mye for hånd. Det kuppelformete midtpartiet er en nålepute, og det er festet åtte sneller med quiltetråd langs kantene. Modellen er en viktoriansk nålepute. Den kan tilpasses fargene i rommet hvor den skal brukes og du lager raskt flere både til deg selv og dine venner.

Ferdig størrelse: 20 cm i diameter

DU TRENGER

To firkanter på ca. 25 × 25 cm, helst i ren bomull

Fyllmateriale (gamle silkestrømper, lammeull eller polyesterfyll)

Halvstiv kartong (f. eks. postkort)

Stiv kartong (f. eks. müsli-esker)

Tykk papp

Tråd som passer i fargen

Tekstillim

Farget silkebånd, 1 m langt og 1,25 cm bredt

Syl eller hulltang

1 Bruk den tynneste kartongen og skjær ut mal A én gang (se side 45) og mal B åtte ganger. Bruk den stive kartongen og skjær ut mal C åtte ganger. Bruk den tykke pappen og skjær ut mal D én gang.

2 Skjær stoff til hver lapp og beregn 0,6 cm sømmonn i tillegg. Tråkle stoffet rundt malene A og B (se *Engelsk papirmønster* side 16), men lim malene C og D til vrangen på stofflappene og lim sømmonnet bak på kartongen.

3 Lapp A og alle lappene B nestes sammen fra vrangen (se fig. 1). Brett lappene C i de stiplede linjene som er vist på malen. Brett pappen mot kanten på en linjal. Fest de åtte C-lappene til B-lap-

pene og sy også sammen spissene på C-lappene slik at hele overdelen blir ferdig (fig. 2).

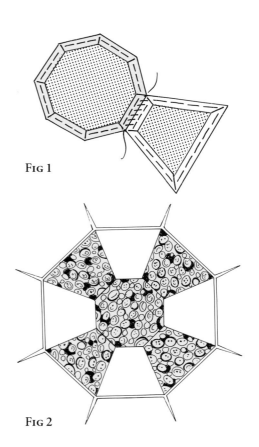

Fig 1

Fig 2

4 Fjern kartongen fra A- og B-lappene men *ikke* fra C-lappene. Sy lapp D (bunnstykket) til den ferdige overdelen på seks kanter (se fig. 3), og stapp i

fyllmaterialet før du syr de to siste sømmene.

5 Bruk en syl eller hulltang og lag huller i spissene slik det er vist på mal C. Træ silkebåndet gjennom det første hullet, træ på en trådsnelle, træ gjennom det neste hullet og så videre. Skjær endene på silkebåndet på skrå og knytt en sløyfe.

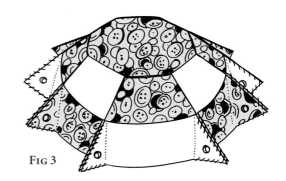

FIG 3

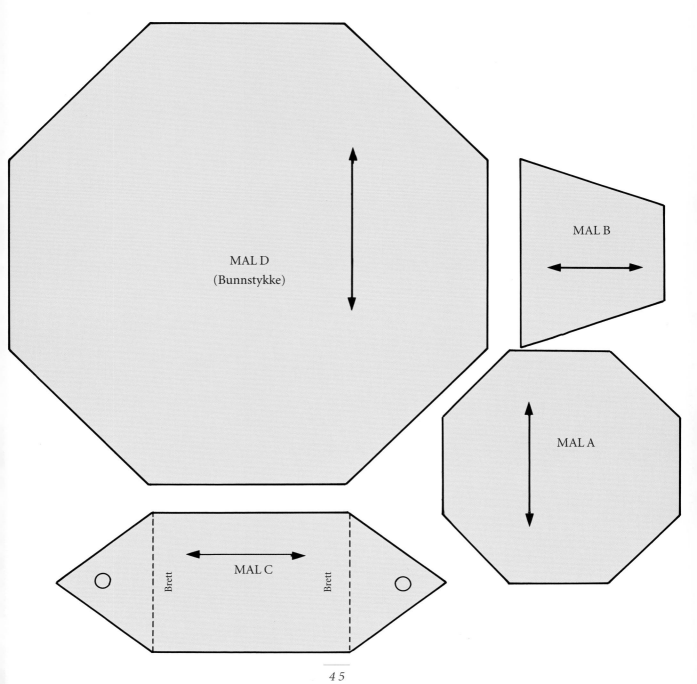

MAL D
(Bunnstykke)

MAL B

MAL A

MAL C

Brett

Brett

Regnbue-veggteppe

Suffolk-teknikken er en gammel og spesiell lappeteknikk. Den lages vanligvis uten fôr hvis den brukes som sengeteppe, og du får god anledning til å sette fast tærne i hullene! Arbeidet er tidkrevende selv om hver enkelt liten lapp lages ganske raskt, men på den annen side er det er lett å ta med seg. Teknikken er egnet for dekorative arbeider som tærne i «Liten skulderveske med landskap» eller i «Veggteppe med vårblomster». Dette fargesterke mønsteret er laget ved hjelp av tolv regnbuefarger. Jeg ville gjerne uttrykke meg i fargerike vendinger, og dette er resultatet.

Ferdig størrelse (med ramme): 58,5 × 58,5 cm

DU TRENGER

Tolv ensfargete stoffer i regnbuefarger

Svart bomullsstoff 200 x 152 cm

Gylne perler, 2 mm diameter (ca. 325 stk.)

Svart tråd

Bølgepapp på 60 × 60 cm

To kartonger for oppklebing: 58,5 × 58,5 cm og 57 × 57 cm

Fyllmateriale, to kvadrater på 58,5 × 58,5 cm

Tekstillim

To gardinringer

1 Skjær 12 lapper med 7 cm i diameter fra hver av de tolv stoffene. Det er mest hensiktsmessig å lage en mal først (se side 17).

2 Brett inn en fald på 0,6 cm rundt hver lapp. Begynn med en knute og sy langs kanten med dobbelt svart tråd. Rynk sømmen. Dermed samler stoffet seg på midten og går helt sammen. Fest tråden godt med et par sting. Klem stingene på midten flate og dra i stoffet slik at du får en rund lapp.

3 Når du har laget alle lappene, festes de med nåler til et stykke bølgepapp i riktig rekkefølge. Følg fargerekkefølgen på bildet side 47.

4 Sy lappene sammen med dobbelt tråd etter følgende fremgangsmåte: Lag en knute på tråden og før nålen fra midten til ytterkanten av lappen (se fig. 1). Sy ett eller to små sting for å feste tråden. Træ en perle på nålen og lag et lite nest i lappen som skal stå ved siden av. Gå tilbake til første lapp gjennom perlen og lag et lite nest til. Gjenta to eller tre ganger og fest tråden. På neste lapp forholder du deg til hvor perlen står slik at du får rette rader. Det er lurt å bruke en lang nål. Sy lappene sammen i rader og sy deretter sammen radene.

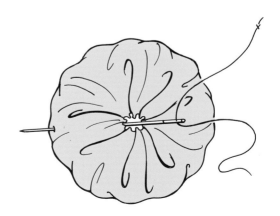

FIG 1

5 Ta ett av kvadratene med kartong for opp-
klebing på 58,5 x 58,5 cm og mål 8 cm fra ytter-
kant flere steder og merk av med en blyant. Trekk opp
en linje langs merkene slik at du får et indre kvadrat
som måler 42 x 42 cm. Skjær ut dette kvadratet.

6 Dekk kartongen som skal bli rammen med et
stykke fyllmateriale, lim det på plass og skjær
bort det som dekker åpningen.

7 Skjær et stykke svart stoff på 68,5 × 68,5 cm og
stryk det. Legg stoffet med retten ned på et
plant underlag og sentrer den vatterte rammen oppå
med fyllsiden ned. Trekk hjørnene på stoffet over
pappen og lim dem fast. Lim fast langsidene slik at
stoffet blir stramt. Skjær ut et kvadrat fra baksiden
av det svarte stoffet slik at det bare gjenstår 2 cm som
kan brettes inn og limes fast. Gjør et snitt nesten inn
i hjørnene slik at det blir lettere å dra i stoffet, og
trekk stoffkantene gjennom åpningen i rammen, til

rammens bakside hvor du limer fast stoffet. La
rammen tørke over natten.

8 Plasser rammen med retten på et bord og sy
fast lappedelen. Bruk gullperler når du fester
lappene til rammen. Det er lettest å begynne med de
fire hjørnene og deretter midterste lapp på hver
langside slik at du får spent opp lappedelen.

9 Dekk den andre kartongkvadraten på
58,5 x 58,5 cm med fyllmateriale og svart stoff
slik det allerede er beskrevet. Lim vrangen på ram-
men med lappedelen fast til retten av den polstrede
baksiden. Hold sammen med klesklyper eller store
binders og sett til tørk.

10 Lim den siste biten med kartong til
baksiden av teppet slik at alle sårkanter
skjules. Sy fast to gardinringer, én i hvert av de øvre
hjørnene.

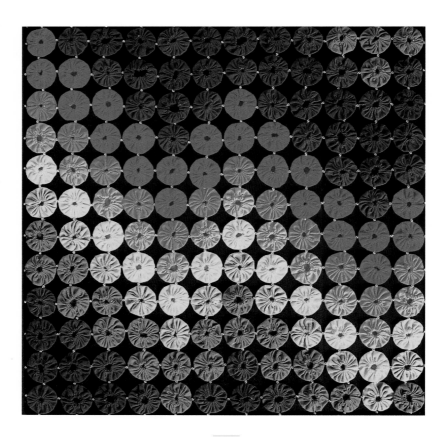

Veggteppe med vårblomster

*Dette veggteppet bringer våren inn i rommet, uansett hvilken tid på
året det er! Den enkle lappeteknikkblokken som utgjør blomsterkurven
kan også brukes på en pute eller en quilt. Du lager så mange blokker
som du har behov for, syr dem sammen i en ramme av blomstret stoff
og uttrykket blir friskt og vårlig. Denne kurven inneholder
frittstående stoffblomster som du kan bruke selv eller ha
i kurven som en evig frisk blomsterbukett.
Du kan også bruke veggteppet til å feste nåler og brosjer på.*

Ferdig størrelse: 43 × 43 cm

DU TRENGER

Ensfarget grønt stoff 25 × 115 cm

Ensfarget lysegrønt stoff 50 × 115 cm

Gulmønstret stoff 25 × 115 cm

Blomstret stoff 50 × 115 cm

Tråd som passer i fargen til søm og quilting

Vatt 25 × 115 cm

Fôrstoff 50 × 115 cm

Skråbånd, ferdigkjøpte eller hjemmelagde

Til stoffblomstene:

Småbiter med pastellfarget stoff

Små firkanter av kartong

Tråd som passer i fargen

Festeanordninger for brosjer eller sikkerhetsnåler

Tekstillim

1 Tegn av malene som du trenger til kurvblokken
på side 52 (les *Lage og bruke maler*, side 17).

2 Lappene skal sys sammen for hånd. Begynn
med å overføre malen på stoffet og skjære
lappene (se fremgangsmåte side 17). Pass på at du
følger trådretningen som er avmerket med en pil på
malene. Skjær seks lapper i mørkegrønt stoff av mal
A. Skjær fem lapper i gulmønstret stoff av mal A.

Skjær en lapp av mal B og en av mal BR i lysegrønt
stoff. Skjær en lapp i gulmønstret stoff av mal C.
Til slutt skjærer du en firkant med lysegrønt stoff på
16,5 × 32 cm som skal bli området bak hanken.

3 Benytt skjemaet på side 50 for å sette sammen
lappene og sett sammen lappene som utgjør
den nederste halvdelen av blokken (se *Sy for hånd*
side 17). Appliker håndtaket til kurven på plass på
det enfargete grønne stoffet (se *Applikasjon over
papirlapper*, side 25).

4 Plasser øvre og nedre halvdel av blokken rette
mot rette, sett av plass til 0,6 cm sømmonn og
sy de to halvdelene sammen.

5 Skjær remser med 9 cm bredde i blomstret stoff
som skal bli rammen rundt blokken og sy dem
fast. Pass på at du skrår hjørnene (se side 26).

6 Sett sammen lagene i quilten ved hjelp av
fôrstoffet, fyllmaterialet og lappearbeidet (se
Tråkle sammen, side 21) og sy alle quiltesømmene
(se *Quilteprosessen* på side 21). Lag ditt eget quilte-
mønster eller følg skjemaet på side 50.

7 Veggteppet kantes (se *Kanting* på side 25), og
lag en løpegang for oppheng på baksiden. Bruk
et stykke stoff som er 25 cm høyt og 10 cm smalere

enn bredden på quilten. Lag en smal fald i hver ende. Brett på langs, rette mot rette og sy sammen. Vreng slik at retten kommer ut, og fest med små sting i over- og underkant på baksiden av veggteppet, ganske nær kanten øverst. Nå har du løpegang til en pinne eller rundstokk.

Slik lager du blomsternålene

8 Den sekskantede blomsten lager du i pastellfarger slik det er beskrevet på side 67.

9 Til blomsten i Suffolk- eller yo-yo-teknikk skjærer du sju sirkler med 5 cm i diameter og følger fremgangsmåten for teppet på side 46.

10 Til den tredje blomsten skjærer du fem kvadrater på 10 cm i blomstret stoff. Brett en lapp i to, og igjen i to slik at du får en mindre firkant. Bruk dobbelt tråd med en solid knute, og lag et sting fra hjørne til hjørne gjennom alle lagene. Snurp sammen slik at stoffet rynker seg, og fest godt. Lag de øvrige kronbladene av de andre stoffbitene, og sett dem sammen til en blomst. Plasser en knapp, en lapp eller noe annet i midten.

11 Når blomstene er ferdige, limer du kartong 2,5 x 2,5 cm på baksiden. Når limet er tørt limer du fast en brosje eller sikkerhetsnål. Plasser blomstene i kurven.

Skjema for sammensetting og quiltemønster

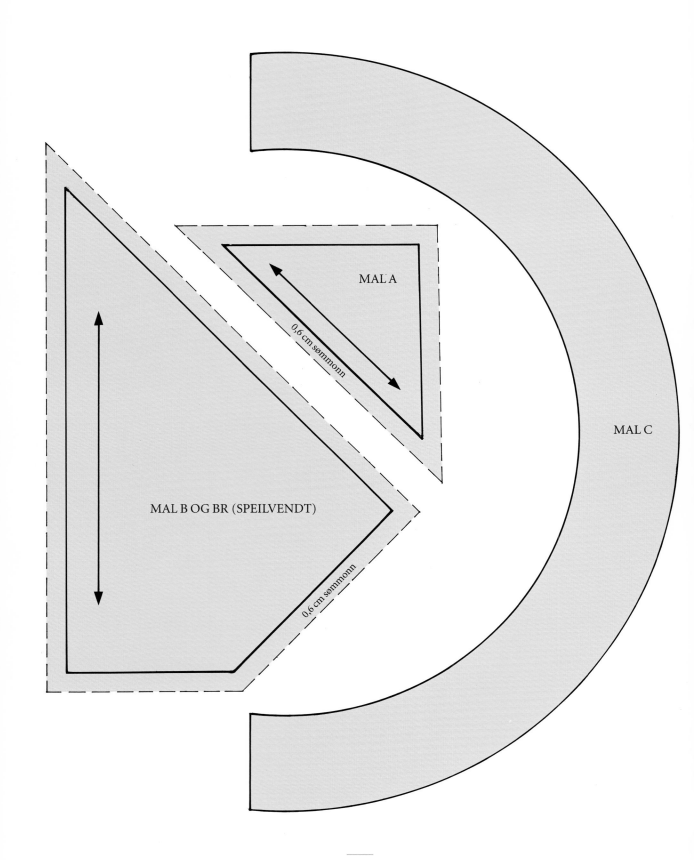

MAL A

MAL C

MAL B OG BR (SPEILVENDT)

0,6 cm sømmonn

0,6 cm sømmonn

Quilt med Liberty-hjerter

I tekstilarbeider fra forrige århundre finner man ofte lappearbeider og quilting i kombinasjon, og effekten kan være svært sjarmerende. Dette arbeidet består av stoffer fra den engelske stoffleverandøren Liberty, og er laget ved hjelp av vrengte applikasjoner. Denne teknikken lærte jeg av Jean V. Johnson på et kurs i Houston i Texas i 1989. Tusen takk skal du ha Jean, for jeg har hatt stor glede av applikasjonsteknikken. Fullstendig beskrivelse av fremgangsmåten finner du på side 25 under Grunnleggende teknikker.

Ferdig størrelse: 131 × 131 cm

DU TRENGER

Ensfarget hvitt stoff (til bakgrunnen) 100 × 115 cm

Stoffbiter. Ingen mindre enn 4 × 29 cm, og flere biter til de applikerte hjertene

Stoff (til rammen) 25 × 114 cm

Myk, strykefri vlisofix (til applikasjonene) 75 × 115 cm

Vatt 140 × 140 cm

Hvitt stoff til fôr 140 × 140 cm. (Dette *må* være hvitt ellers vil det synes gjennom de hvite partiene på retten og ødelegge totalinntrykket)

Hvit sytråd

Hvit quiltetråd

1 Begynn med å vaske, tørke og stryke stoffene. Deretter lager du de store firkantene som er bygget opp av remser. Bruk et skjærehjul eller en saks og skjær ut et antall remser i hovedsakelig blå nyanser i en bredde på 6,5 cm. Skjær seksten kvadrater på 19 × 19 cm. Sy fast papiret for å få til rette sømmer som gjør stoffet (spesielt batist) stødigere.

2 Brett en remse med stoff i to på langs. Plasser bretten på linjen mellom to diagonale hjørner på et papirkvadrat og fest med knappenåler. Plasser neste remse rette mot rette med den første, og sy disse to remsene sammen gjennom papiret med 0,6 cm sømmonn.

3 Fingerpress sømmonnene til hver sin kant og plasser neste remse med retten mot den siste du har sydd fast. Gjenta fremgangsmåten til den ene halvdelen av kvadratet er dekket. Snu kvadratet rundt og gjenta på den andre halvdelen. Gjenta med alle kvadratene.

4 Snu kvadratet slik at papiret vender mot deg. Klipp bort alt overskytende stoff. Før spissen på saksen inn under papiret og klipp opp. Pass på at du bare klipper i papiret og ikke i stoffet (se fig. 1). Brett papiret sammen slik at du har to lag som holdes på plass av sømmen, og dra papiret av langs hullene. Fjern alt papir på denne måten.

5 Skjær 48 kvadrater på 9 × 9 cm og lag stripete kvadrater på samme måte som beskrevet. Bruk 4 cm brede remser, som blir 2,5 cm brede når de er

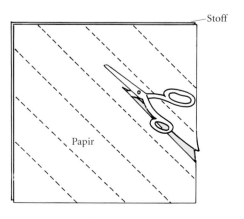

FIG 1

ferdige. Renskjær og fjern papiret på samme måte som med de store kvadratene.

6 Lag hjertekvadratene ved å først skjære 20 kvadrater på 19 × 19 cm av mønstret stoff og 16 kvadrater på 9 × 9 cm av hvitt stoff. Deretter skjærer du 20 hjerter i rosamønstret stoff ved hjelp av mal A på side 57. Sy dem diagonalt fast på bakgrunnen ved hjelp av vrengt applikasjonsteknikk (se side 25). Skjær ut 16 hjerter i rosamønstret stoff ved hjelp av mal B og appliker dem fast på de små kvadratene.

7 Bruk skjemaet for sammensetting og quilte- mønster på side 56 som retningslinje når du skal sette sammen alle de større kvadratene. Av rammestoffet skjærer du fire remser på 114 × 5 cm og syr dem fast rundt midtpartiet med 0,6 cm sømmonn. Pass på å skrå hjørnene (se side 26). Sett sammen de små kvadratene som utgjør rammens ytterkant.

8 Quilt hele veggteppet ved hjelp av skjemaet på side 56 (les også *Quilteprosessen*, side 21).

9 Til slutt kanter du quilten (les *Kanting*, side 25). Jeg brukte kjøpt skråbånd, men du kan godt bruke lapper som sys sammen etter trådretningen slik at du får et rett kantebånd.

Skjema for sammensetting og quiltemønster

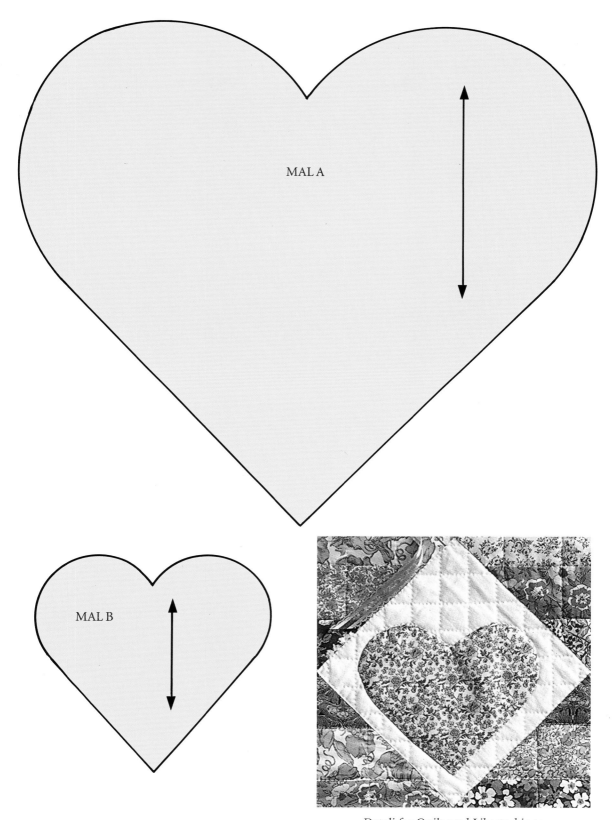

MAL A

MAL B

Detalj fra Quilt med Liberty-hjerter

Quilt med bobleteknikk

Dette er en teknikk som alltid blir godt mottatt, ikke minst av de aller yngste, for de færreste kan motstå fristelsen til å klemme på putene! Selv om denne quilten i utgangspunktet ble laget som en dynequilt kan den også brukes som krabbeteppe i lekegrinden eller i bilen.

Ferdig størrelse: 74 × 92 cm

DU TRENGER

Bomullsstoff til fôr 100 × 112 cm

Fire ulike bomullsstoffer (Her: blått, turkis, gult og
   rosa) hver på 50 × 112 cm

Fyllmateriale (brannsikkert)
   100 × 128 cm

Polyester fyllmateriale (brannsikkert) til boblene
   (mengden vil avhenge av hvor mye du fyller
   boblene)

Ensfarget, hvitt stoff 125 × 115 cm som legges bak
   boblene

Hvit tråd

Farget broderigarn til knuter

1 Begynn med å vaske, tørke og stryke stoffene.
Vil du klippe stoffene med en saks, lager du
malene i papp eller plast (se side 17). Mal A er et
kvadrat på 11,5 cm og mal B er et kvadrat på 14 cm.
Hvis du bruker et skjærehjul, bruker du linjalen til å
måle bredden på remsene som skal bli kvadratene.

2 Skjær 63 kvadrater av mal A i det hvite stoffet
som skal bli baksiden av boblene. Skjær 16
kvadrater av mal B i hver stoffarge; turkis, gul, rosa
og blå (du vil få en til overs).

3 Plasser en farget lapp på en hvit lapp med
vrange mot vrange, slik at retten på den fargete
lappen vender mot deg. Plasser de øverste venstre
hjørnene over hverandre og fest dem sammen med
en knappenål. Gjør tilsvarende med de øvre høyre
hjørner. Det overskytende stoffet buler midt på, og

legges i en fold mot høyre midt mellom hjørnene.
Gjenta på to sider til. På den fjerde siden passer du
på at folden bare festes i det fargede stoffet, *ikke*
gjennom det hvite stoffet. Du trenger åpningen for å
få stappet inn fyllet.

4 Sy med maskin eller for hånd rundt alle fire
sider (se fig. 1). Beregn 0,6 cm sømmonn, men
la den fjerde siden være delvis åpen. Gjenta med alle
kvadratene.

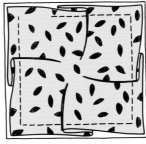

FIG 1

5 Ta en neve med fyllmateriale og stapp inn i
kvadraten gjennom åpningen. Pass på at fyllet
kommer godt ut i hjørnene, men vær litt forsiktig,
for boblene må ikke bli for harde. Nest sammen
åpningen.
Merk: Sørg for at den ferdige quilten ikke blir for
tung. Det er farlig for spedbarn å bli for varme.

6 Ved hjelp av bildet på side 59 plasserer du
kvadratene i rader. Ta de to første boblene i en
rad og sett dem sammen rette mot rette. Sy sammen
med 0,6 cm sømmonn. Ta neste boble fra mønsteret
du har lagt ut og sy den sammen med de to første.

Fortsett til hele raden er ferdig. Lag så de øvrige radene. Sy sammen radene på samme måte (fig. 2).

FIG 3

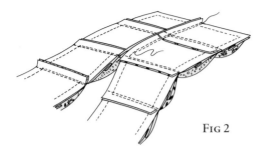

FIG 2

lagene sammen og sy rundt kanten på maskin eller for hånd. Beregn 0,6 cm sømmonn. Lag knuter av broderigarn i krysset mellom boblene (se fig. 3 og side 34).

7 Stryk fôrstoffet og plasser det med retten ned på et plant underlag. Legg på fyllmaterialet og deretter boblematten. Renskjær fyllmaterialet slik at det stikker 4 cm utenfor boblematten. Fest alle

8 Renskjær fôret slik at det stikker 4 cm utenfor fyllmaterialet på alle sider. Vend og stryk en fold på 0,6 cm på alle sider. Fest med nåler kant i kant med boblene. Sy fast med faldesting.

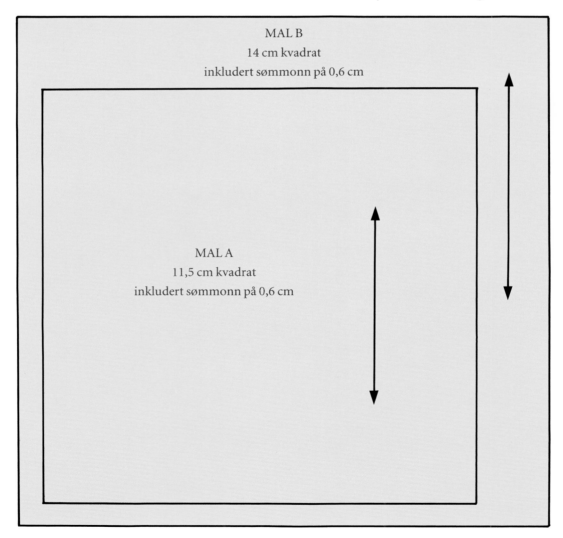

MAL B
14 cm kvadrat
inkludert sømmonn på 0,6 cm

MAL A
11,5 cm kvadrat
inkludert sømmonn på 0,6 cm

Juledekorasjoner

Julen er en hyggelig tid hvor du kan bruke dine lappearbeider til alle slags dekorasjoner og pynt. Du kan boltre deg i sølv og gull, blanke stoffer eller varianter av de mer tradisjonelle med rødt og grønt. Her finner du tre forslag til juletrepynt som du kan lage i lappeteknikker, men jeg lar deg bestemme fargene!

JULESTRØMPE TIL TREET

Denne strømpen er så liten at den bare rommer de små gavene, som godterier eller ganske små leker. Du kan lage en stor versjon ved å forstørre mønsteret 200 % hvis du vil gjøre strømpen 34 cm lang, eller 400 % hvis strømpen skal være 68 cm lang.

Ferdig størrelse: 17 cm lang

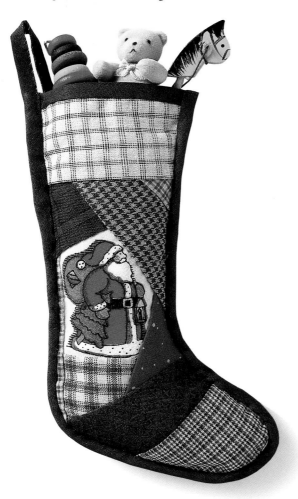

DU TRENGER

Biter av stoff i julefarger, også noen med motiver
Mindre mengder ensfarget stoff (til fôr og bakside)
Skråbånd som passer i fargen
Tråd som passer i fargen
Knapper og perler (hvis du vil)

Lappeteknikk i fantasimønster
Fantasimønster-lappeteknikk lages ved å feste lappelaget til et bakgrunnsstoff. Denne teknikken ble også brukt i *Indigoblå skulderveske* på side 36.

1 Begynn med å overføre omrisset av sokken på et ensfarget stoff. La det være godt med stoff på alle kanter. Plasser et julemotiv eller en stofflapp i julemønster på det ensfargete bakgrunnsstoffet (se fig. 1), og fest med knappenåler. Plasser en remse

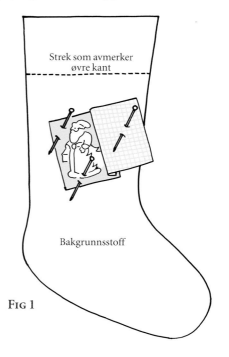

Strek som avmerker øvre kant

Bakgrunnsstoff

FIG 1

med stoff rette mot rette med den første, og fest med knappenåler. Beregn 0,6 cm sømmonn og sy på plass. Bruk fingrene og stryk sømmene fra hverandre før du fester den nye lappen med nåler.

2 Plasser neste stoffremse rette mot rette med den foregående. Sy fast med 0,6 cm sømmonn og stryk sømmen åpen ved hjelp av fingrene. Fortsett denne fremgangsmåten til du når streken for øvre kant. Pass på at stoffene ligger like over streken. Fortsett den andre veien slik at også nederste del av strømpen dekkes med lapper.

Slik lager du strømpen

3 Når du skal lage fôret, bretter du et stykke ensfarget stoff i to, rette mot rette. Plasser malen for stømpen på stoffet, tegn rundt og skjær ut. Legg til side.

4 Plasser malen for strømpen på det ferdigsydde lappearbeidet, tegn rundt og legg til 0,6 cm sømmonn. Skjær ut.

Strek som avmerker
øvre kant

MAL FOR STRØMPE

Til høyre *Et vakkert juletre som er pyntet med julestrømpe, Amish julepynt, sekskantrosett og som står på et juletreteppe (se side 68)*

5 Skjær et rett stykke stoff som skal bli øvre kant på strømpens forside, og en speilvendt utgave av strøpemalen som skal bli baksiden i hvitt, grønt eller rødt stoff.

6 Sy fast den øvre kanten på strømpens forside ved å legge rette mot rette og bruke maskin eller håndsøm. Beregn 0,6 cm sømmonn, (se fig. 2).

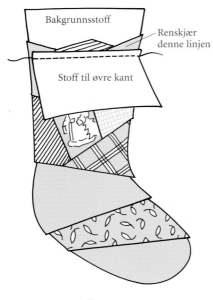

Bakgrunnsstoff

Renskjær denne linjen

Stoff til øvre kant

Fig 2

7 Plasser det ferdige lappearbeidet vrange mot vrange med den ene delen av fôrstoffet. Tråkle langs kanten og renskjær deler av lappearbeidet som stikker utenfor. Fest det andre fôret til bakside-stoffet, også her plasserer du vrange mot vrange, og tråkler sammen.

8 Fest skråbånd på øvre kant på hver strømpe-halvdel, og pass på at du får med fôret. Sett de to halve strømpedelene sammen med fôrsidene mot hverandre. Fest med knappenåler og sy på skråbånd hele veien rundt (se side 25). La det være 10 cm ekstra skråbånd i det hjørnet som er diagonalt motsatt av strømpens tåspiss. Fest skråbåndet med faldesting. Når du kommer til den lange tampen, syr du den sammen med små tette sting før du bøyer den tilbake og fester den slik at den blir en hempe som strømpen kan henge i. Sy på knapper, perler eller lignende til pynt.

9 Til slutt fylles strømpen med godsaker. Du kan også legge leker i den slik bildet på side 63 viser. Da må du først fylle mesteparten av strømpen med vatt og lime eller sy fast lekene øverst.

AMISH JULETREPYNT
Dette enkle blokkmønsteret kan du lage ved å bruke fantasiteknikken (crazy quilt).

Ferdig størrelse: 9 × 9 cm

DU TRENGER
Biter av stoffer med julemønster, også enkelte med motiver (en lapp må være stor nok til å dekke baksiden av blokken)
Ensfarget hvitt eller kremfarget stoff 10 × 10 cm
Vatt til mellomfôr 10 × 10 cm
Maskeringstape
Sikkerhetsnåler
Tråd som passer i fargen
Skråbånd, ferdigkjøpte eller hjemmelagete

1 Overfør malen til Amish-blokken (se neste side) på det enfargete stoffet som skal være bakgrunnen (se *Merke quiltemønsteret* på side 21). Det kan være fornuftig å først overføre mønsteret til et papir med en tusjpenn. Bruk maskeringstape og fest bakgrunnsstoffet på papirmønsteret. Tegn av mønsteret på bakgrunnsstoffet med en blyant.

2 Bestem deg for hvilke stoffer du vil plassere hvor og begynn med å skjære et stykke motiv-stoff større enn kvadratet pluss sømmonn i midten av mønsterblokkene. Plasser lappen med retten opp på baksiden av bakgrunnsstoffet. Hold stoffet opp mot lyset for å kontrollere at du har plassert lappen i det avmerkede kvadratet. Fest med en sikkerhetsnål. Dette er nyttig fordi det hindrer at tråden henger seg opp slik den lett kan gjøre med en knappenål.

3 Ta neste stofflapp B pluss sømmonn og plasser den rette mot rette med midtlappen (se fig. 1). Sy fast fra vrangen med hånd eller på maskin, gjennom alle tre lag. Beregn 0,6 cm sømmonn og sy etter den opptegnete linjen. Bruk fingrene til å stryke sømmen fra hverandre og fest den nye lappen med en knappenål.

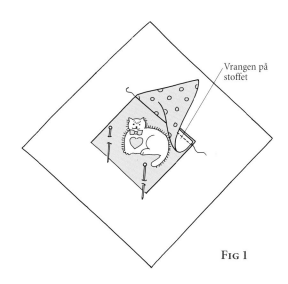

Vrangen på stoffet

Fɪɢ 1

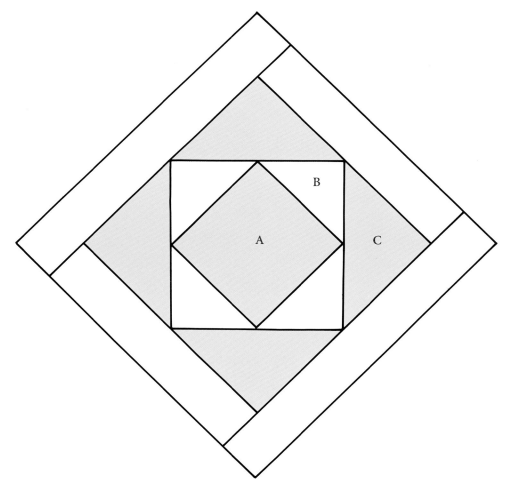

MAL FOR AMISH JULETREPYNT

6 Fest skråbånd på de to nederste sidene på blokken (se fig. 2). Fest skråbåndet på øvre venstre kant, lag en hempe som blir ca. 7,5 cm og fortsett nedover øvre høyre kant (se fig. 3). Fest skråbåndet med håndsøm, og kast sammen den delen som blir hempen. Gjør ferdig all håndsøm langs kanten og avslutt endene slik det er vist i julestrømpen på side 64.

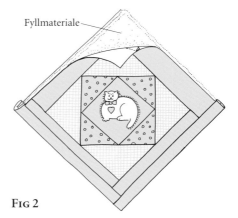

Fig 2

4 Plasser neste lapp oppå neste hjørne på bakgrunnsstoffet, og sy den fast. Gjenta med to hjørner til. Sy fast bit C på samme måte.

5 Skjær fire remser av det stoffet du valgte til sist, og sy remsene på plass. Stryk sømmene åpne med fingrene. Tråkle mellom de to ytre linjene som er tegnet på bakgrunnsstoffet, og renskjær lapper som stikker utenfor den ytterste linjen. Da får du et rent kvadrat. Skjær et kvadrat i mønstret stoff som har samme størrelse som det renskårete kvadratet, og fest det på baksiden av blokken ved hjelp av knappenåler.
Merk: Den andre linjen er sømlinjen. Nå skal du bruke den som retningslinje for skråbåndet du skal feste, men hvis du i stedet skulle sy sammen flere blokker, ville du brukt den som sømlinje.

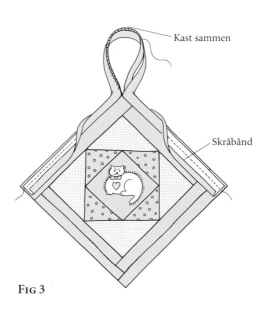

Fig 3

7 Dekorer baksiden av blokken med knapper, perler eller annet som pynter opp.

SEKSKANTROSETT TIL TREET

Denne søte, lille juletrepynten blir enda mer sjarmerende hvis du finner en liten engel som kan pryde midten. Vær på jakt etter julestoffer med denne typen motiver. De er fine å bruke til alle slags arbeider, fra dekorasjoner til julekort, og det skal ikke mye til for å få et fint resultat. Denne julepynten er både rask og lett å lage, og er et ideelt bidrag til julebasaren. Hvis du vil, kan den lages i blomster-mønstre og fylles med lavendel slik at den kan legges i lintøyskapet eller undertøyskuffen.

Ferdig størrelse: 6,5 × 6,5 cm

DU TRENGER

Biter av stoffer i julefarger (enkelte med motiver)
Rester av fyllmateriale
Tråd som passer i fargen
Bånd til oppheng, 10 cm

1 Tegn av malen for sekskanten nedenfor på papir, fest på kartong og skjær ut. Denne malen brukes når du skal skjære stofflappene. Hvis du vil lage malen i plast, merker du den heltrukne søm-linjen med en svart tusj og får en vindusmal. Den er nyttig når du skal velge ut motiv fra ulike stoffer. Du skal skjære 14 sekskantlapper i stoff.

SEKSKANT-MAL

2 Lag en ny mal som du skjærer etter den heltrukne innerste linjen på sekskantmalen. Skjær 14 sekskanter i papir ved hjelp av denne malen, og bruk fremgangsmåten for engelske papirmønstre på side 16. Plasser de stoffkledte papirlappene i det mønsteret du ønsker, og sy dem sammen slik at du får to rosetter som hver består av syv sekskanter.

3 Fjern tråklingen fra de midterste sekskantene. Plasser blokkene vrange mot vrange og begynn med å kaste sammen de to blokkene mens du fjerner papiret der du kan. Sy sammen så langt som i fig. 1, og fyll lett med rester av fyllmateriale.

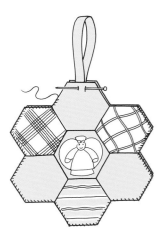

FIG 1

4 Når du skal lage hempen, bretter du et bånd i to og stikker det inn mellom lagene før du syr sømmen, som vist i fig. 1. Fjern de to siste papir-bitene og sørg for at båndet blir godt festet.

Juleteppe til å ha under treet

Dette er et fint arbeide å trene maskinquilting på.
Hvis du bruker rutete stoffer og pynter med røde perler som illuderer
bær, vil treet få et fint juleteppe å stå på. Vi har vanligvis et tre som er
ganske tykt ved foten, og derfor har jeg laget et hull med
god vidde. Jeg har laget et teppe som er lite i diameter, så vær
nøye med målene.

Ferdig størrelse: velg selv

DU TRENGER

Lyst, rutet bakgrunnsstoff, ca. 175 × 152 cm
  (gardinstoff kan være egnet)
Fôrstoff ca. 175 × 152 cm (gjerne enkelt lakenstoff)
Sikkerhetsnåler
Fyllmateriale, tilstrekkelig til å dekke teppet uten at
  det må skjøtes
Forskjellige grønnrutete stoffer til kristtorn-
  bladene
Ca. 30 røde perler eller knapper til de røde bærene
Skråbånd, kjøpt eller hjemmelaget, ca. 500 cm
Tråd som passer i fargen til maskinsøm og quilting
Vlisofix (til baksiden av kristtornbladene)

1 Begynn med å vaske, tørke og stryke stoffene.
Legg bakgrunnsstoffet og fôrstoffet på
hverandre og brett i fire, slik at du får en mindre
kvadratisk form.

2 Merk av hullet i midten ved å bruke en tal-
lerken med passende diameter. Plasser den på
hjørnet som er midten på teppet, og tegn en fjerdel
av omkretsen på stoffet.

Slik tegner du en stor sirkel

3 Når du skal tegne den store sirkelen som angir
omkretsen på teppet, kan du enten lage en mal
eller bruke stoffet. Brett stoffet eller arket i fire og
mål en diameter som er 7,5 cm større enn det ferdige
teppet. Bruk et kosteskaft eller en lignende lang rett
gjenstand, og gå fram på følgende måte: Mens en
annen person holder den ene enden av kosteskaftet i
sirkelens sentrum, fester du en kulepenn ved merket
for riktig radius, og tegner forsiktig en kvart kurve
over stoffet eller papiret. Skjær langs linjen og du har
en sirkel.

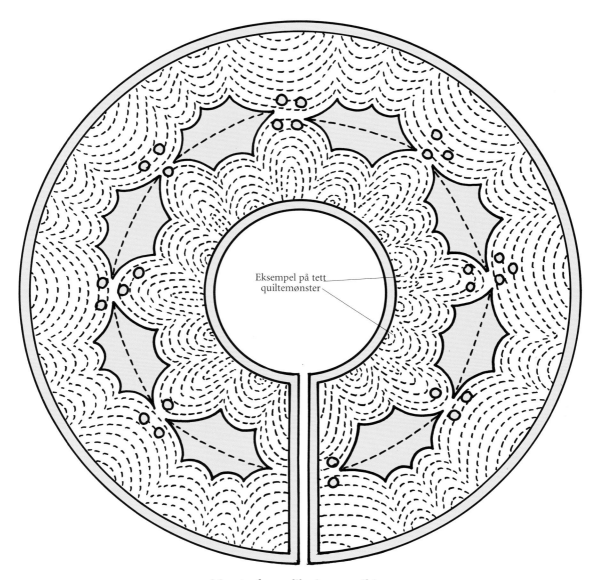

Eksempel på tett
quiltemønster

Mønster for applikasjon og quilting

4 Brett stoffsirkelen i to og skjær fra ytterkant inn til hullet i midten for å lage en åpning. Skjær eller klipp der stoffet er brettet.

5 Lag en mal i kartong for kristtornbladet (les *Lage og bruke maler* på side 17) og tegn av malen åtte ganger på den fettbestandige papirsiden på vlisofixen. Skjær ut formene. Stryk vlisofixen på vrangsiden av det rutete stoffet og skjær ut.

6 Bestem hvordan du vil plassere bladene, og bruk mønsteret over som retningslinje. Fjern beskyttelsespapiret og stryk på plass. Sy på maskin med broderisøm eller knapphullsting for hånd rundt hvert blad, og sy også en broderisøm langs midtaksen på hvert blad.

7 Fest fôrstoff, fyllmaterialet og topplaget sammen med sikkerhetsnåler. Når du skal quilte teppet på maskin (se *Quilting på maskin* side 24) begynner du i den ene enden på et av bladene. Sy rettsøm ca. 1 cm fra kanten av bladet, og fortsett videre bort til neste blad og videre til du har nådd enden av teppet. Snu; sy tilbake til begynnelsen og sy ca. 1 cm fra den første sømmen. Fortsett på denne måten til hele teppet er dekket med quiltesøm inn mot midten. I enkelte områder kan det være at sømmene blir litt tettere, men forsøk likevel å holde ca. 1 cm mellom dem. Snu teppet rundt og begynn å

sy fra den andre kanten på nøyaktig samme måte, til du når ytterkanten.

8 Sett på skråbånd rundt åpningen, midthullet og ytterkanten (se *Kanting*, side 25).

9 Sy på perler eller knapper der bladene møtes. Til slutt festes teppet rundt treet med sikkerhetsnåler, borrelås eller kanskje en knapp og hempe.

Du kan også legge teppet flatt slik som på bildet på side 63.

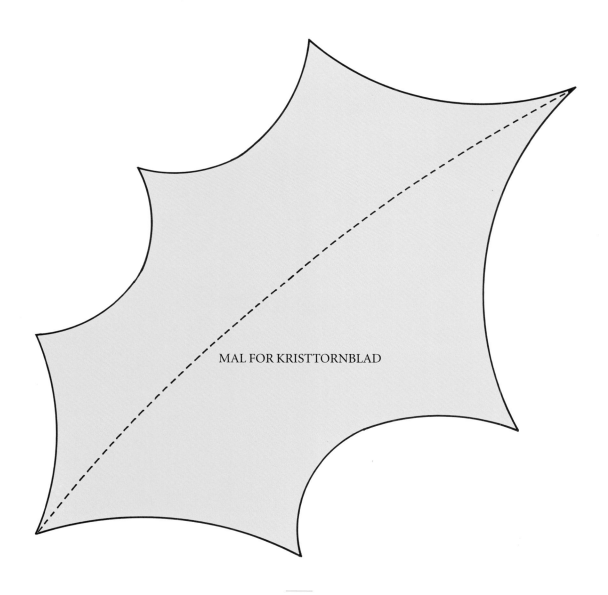

MAL FOR KRISTTORNBLAD

Tevarmer med keltisk mønster

Denne motivtypen omtales som keltisk fordi linjene som er flettet i hverandre, er typisk for det avanserte kunstneriske uttykket til kelterne. Det finnnes en rekke bøker som viser stenkors, smykker og annet kunsthåndverk, som gir inspirasjon til flere motiver. Tevarmeren er laget av ensfarget stoff og er pyntet langs kanten med blomstret gullforgylt stoff.

Denne elegante og raffinerte quilteteknikken omtales som italiensk quilting. Den kan brukes på krager og mansjetter og på mindre gjenstander som omslag for lommetørklær og bryllupsringputer. Det brukes garn eller bløt hyssing som træs inn i kanalene som formes av sømmen. Dermed får du en relieff-effekt.

Ferdig størrelse: 40 × 27 cm (eller etter eget valg)

DU TRENGER

Mønstret stoff 50 × 115 cm
Ensfarget stoff 50 × 115 cm
Hvitt stoff 50 × 115 cm
Tråd som passer i fargen til å sy med
Tråd i en kontrastfarge til quiltingen (jeg brukte en gulltråd)
Hyssing til quilting 2 m
Vatt 50 × 115 cm

1 Vask, tørk og stryk stoffene. Forstørr malen på side 75 med 200 % ved hjelp av en kopimaskin. Bruk malen til å skjære to deler i blomstret, ensfarget og hvitt stoff. Sørg for romslig sømmonn. Skjær to stykker av fyllmaterialet med den samme malen.

2 Overfør quiltemønsteret til en av de to ensfargete stoffstykkene ved hjelp av en lys farge-blyant (se *Merke quiltemønsteret*, side 21). Legg det ensfargete og det hvite stoffet sammen (se *Tråkle*

sammen, side 21). Du skal ikke bruke fyllmaterialet ennå. Gjenta for den andre siden.

3 Quilt den ene siden med en tråd i kontrastfarge (se *Quiltesting* på side 21). Gulltråd har lett for å ryke, så du bør bruke relativt korte tråder for å unngå det. Gjenta quiltingen på den andre siden. Som du ser av mønsteret løper linjene over og under hverandre og det er viktig at du er nøye for å oppnå denne virkningen.

4 Når du skal fylle kanalen bruker du en tykk møbeltapetserernål og italiensk quiltegarn (tykkere og bløtere ull enn strikkegarn). Begynn der en av linjene går «under», trekk tråden gjennom kanalen fra vrangen (se fig. 1) og før den til neste hjørne eller kryss. Før nålen ut på vrangen. La det stå igjen en løkke på ca. 2 cm, stikk inn nålen igjen og gjenta. Benytt samme fremgangsmåte i alle kanalene. *Merk* Hvis kanalene du har sydd er litt vide, kan det være at du må bruke dobbelt garn for å fylle dem. Legg trådene ved siden av hverandre i kanalen.

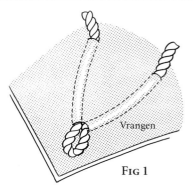

Vrangen

FIG 1

5 Lag skråbånd av det blomstrete stoffet (se *Kanting*, side 25). Plasser fôrstoffet (som er det samme som det utvendige) på baksiden av quiltingen, fest og tråkle sammen de nederste rette kantene. Sy skråbånd på disse kantene.

6 Ta et ekstra stykke med kantbånd som er ca. 13 cm langt. Brett kantene sammen på midten, på lengden og brett en gang til slik at du får en lang remse hvor sårkantene er brettet inn. Sy med maskin langs kanten. Brett i to slik at du får en løkke. Fest midt på øverst på retten av det quiltete arbeidet og sy fast med tråklesting (se fig. 2). Sett de to delene av

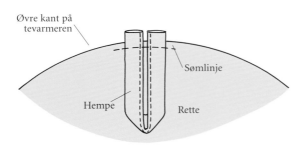

FIG 2

tevarmeren sammen slik at quiltingen vender ut. Fest sammen, tråkle og sett på skråbånd langs hele den buede linjen. Pass på at du får med alle lag. Nest løkken fast i skråbåndet til slutt.

GRYTELAPP

Hvis du har skåret stoffet nøyaktig, skulle du ha tilstrekkelig stoff til overs slik at du kan sy denne praktiske grytelappen i tillegg til tevarmeren.

Ferdig størrelse: 25 × 23 cm

1 Skjær to deler mønstret stoff på 27 × 25 cm og to deler fyllmateriale i samme størrelse. Fest lagene og tråkle sammen.

2 Sy quiltesømmene på maskin, med 5 cm mellomrom slik at det dannes et rutenett (se *Quilting på maskin*, side 24).

3 Sett skråbånd på grytelappen og lag en hempe på samme måte som du gjorde til tevarmeren.

Detalj av flettemønsteret som viser virkningen av italiensk quilting

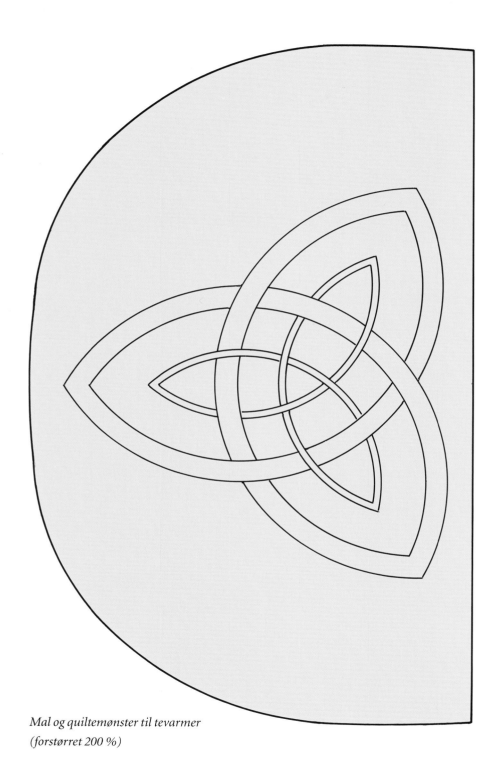

Mal og quiltemønster til tevarmer
(forstørret 200 %)

Pute med sjødyr

Denne hyggelige puten med det sterkt maritime preget er laget med en teknikk som kalles skyggeapplikasjon, hvor de myke, dempete fargene fremkommer ved å legge stoff i sterke farger bak et tynt overflatestoff, i dette tilfellet en voile.

Ferdig størrelse: 50 × 50 cm

DU TRENGER

Bakgrunnsstoff 40 × 40 cm

Bomullsmusselin 40 × 40 cm

Organza 40 × 40 cm

Vatt 40 × 40 cm

Et utvalg mønstrete stoffer i sterke farger som rosa, grønt og lilla

Vlisofix ca. 50 × 115 cm

Stoff til kanting og bakside 50 × 115 cm

Tråd som passer i fargen til de mønstrete stoffene

3 glassperler til fiskeøyne

Pute 46 × 46 cm

1 Tegn av mal A, B og C på side 79 og bruk dem til å tegne av omrisset på tre fisker, fire sjøstjerner og fire skjell på vlisofix. Skjær ut hver del, et stykke utenfor omrisslinjen og stryk dem på de mønstrete stoffene slik:

Grønt: 1 fisk, 2 sjøstjerner, 2 skjell

Lilla: 1 fisk, 2 sjøstjerner, 2 skjell

Rosa: 1 fisk

Skjær ut alle delene nøyaktig.

2 Bruk skjemaet for applikasjon og quilting på side 78 som retningslinje, og overfør hele motivet på det nystrøkete bakgrunnsstoffet. Fjern baksidepapiret fra de mønstrete stoffdelene, og sett dem på plass. Plasser dem nøyaktig der de skal være og stryk dem fast. Bruk fremgangsmåten for vlisofix.

3 Stryk musselinen og legg den på et plant underlag. Plasser vatten oppå. Legg på bakgrunnsstoffet og til slutt kvadratet med organzaen. Kontroller at stoffene ligger kant i kant.

4 Tråkle de fire lagene sammen i et rutemønster (se *Tråkle sammen*, side 21), fest arbeidet i en ramme (se *Quilterammer*, side 13) og begynn med quiltingen. Fest et kantebånd (se side 10) på hver side av det sammentråklete arbeidet slik at det blir lettere å quilte i en ramme. Uansett hvilken type ramme du bruker, skal du feste den til kantstoffet og ikke til det tynne stoffet.

5 Bruk quiltetråd i en passende farge og quilt nøyaktig rundt hver av de applikerte delene, inkludert halefinner og detaljer på skjellene (se *Quilteprosessen*, side 21).

6 Overfør mønsteret for tangen (mal D på side 79) til papir, og lim det fast til halvstiv kartong. Skjær ut slik at du får en mal. Legg malen på stoffet og tegn rundt. Quilt langs streken. Til slutt syr du fast glassperlene som øyne på fiskene.

7 Renskjær arbeidet slik at det blir 33 × 33 cm. Mål 10 cm fra der quiltemønsteret begynner på hver kant, og lag et quiltet kvadrat som følger linjene.

8 Skjær fire deler rammestoff på 11,5 × 58,5 cm. Fest med knappenåler, tråkle sammen og sy hver side på plass. Pass på at du ikke syr i sømmonnet ved hjørnene. Hjørnene skal enten legges over hverandre eller skrås (se *Avslutte hjørner*, side 26).

9 På putetrekkets bakside er det en konvolutt-åpning hvor selve puteinnmaten stikkes inn. For å lage den, trenger du to stykker av bakside-stoffet, en som måler 48 × 54,5 cm og en som måler 26,5 × 54,5 cm. Sy en smal fald langs den ene kort-siden på hver av stoffdelene og stryk.

10 Legg det quiltete arbeidet med vrangen ned på et bord. Plasser det minste bakside-stoffet med retten ned på quiltearbeidet, og avstem kantene. Legg det største baksidestoffet oppå, og avstem kantene.

11 Beregn 0,6 cm sømmonn, fest med nåler, tråkle sammen og sy det quiltete arbeidet fast til baksidestoffene. Vend slik at retten kommer ut og stryk. Mål 5 cm fra ytterkantene og sy en rettsøm hele veien rundt. Avslutt med å sette i puteinnmaten.

Skjema for applikering og quilting

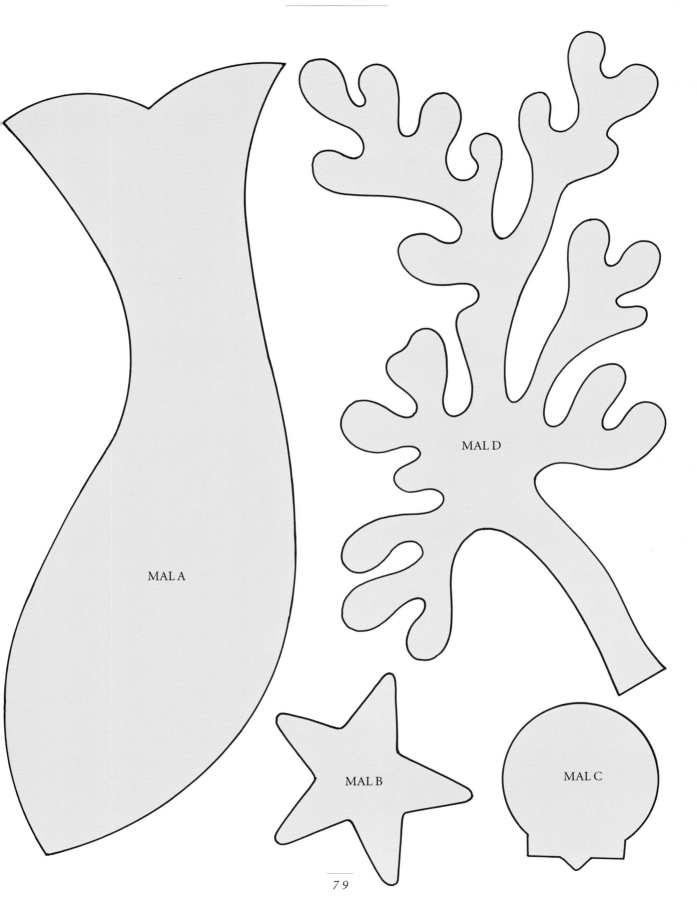

MAL A

MAL D

MAL B

MAL C

Babyteppe fra Devon

Dette myke babyteppet er laget med motiver man gjerne finner i tradisjonelle quilter i Vest-England, og Devon er en by som ligger sørvest i England. Jeg har brukt ferskenfarget satengvevet bomull og fôret med samme stoff slik at teppet er vendbart.

Ferdig størrelse: 103 × 83 cm

DU TRENGER

Satengvevet møbelstoff i ønsket farge 200 × 122 cm
Vatt 100 × 127 cm
Tråd som passer i fargen for quilting

1 Begynn med å vaske, tørke og stryke stoffene. Del stoffet i to slik at du får en forside og en bakside, og skjær bort jarekanten (den tettvevde kanten) på én side. Skjær fire remser med 4 cm bredde som skal brukes som kantbånd senere. Vær nøye med å stryke stoffene.

2 Quiltemønsteret viser bare en fjerdedel av quilten. Forstørr mønsteret med 330 % på en kopimaskin, og slå opp på side 16 hvor du finner beskrivelse av fremgangsmåten for å lage mønster for hele quilten. Hvis linjene er svake kan du forsterke dem med en tusjpenn.

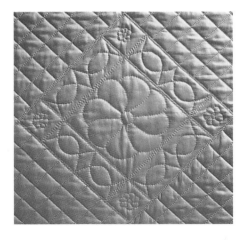

3 Overfør hele quiltemønsteret til den blanke siden på en av stoffedelene.

4 Når du har merket stoffet, og satt sammen lagene, kan du begynne å quilte (se *Tråkle sammen*, side 21). Bruk en quilteramme (se side 13), og quilt langs alle merkede linjer med jevne sting, så pent du kan. Når du kommer til kanten av mønsteret, ser du at du ikke kan plassere det i en ramme eller ring, og du må bruke en ekstrakant (se side 10) for å utvide kantene og få plass i rammen.

5 Hvis du vil, kan du sy et monogram med dine initialer i det ene hjørnet og årstallet i det andre, i stedet for blomster.

6 Når all quiltingen er ferdig, tråkler du langs en linje omtrent 0,6 cm fra den ytterste quiltesømmen.

7 Fjern rutetråklingen, men behold kanttråklingen du laget sist. Mål 1 cm fra ytterste quiltesøm og renskjær de tre lagene langs denne linjen.

8 Teppet kantes med rettskårne kantbånd i samme stoff som resten av teppet (se *Kanting*, side 25).

9 Sy på en etikett eller broder navn og dato for quilten på baksiden.

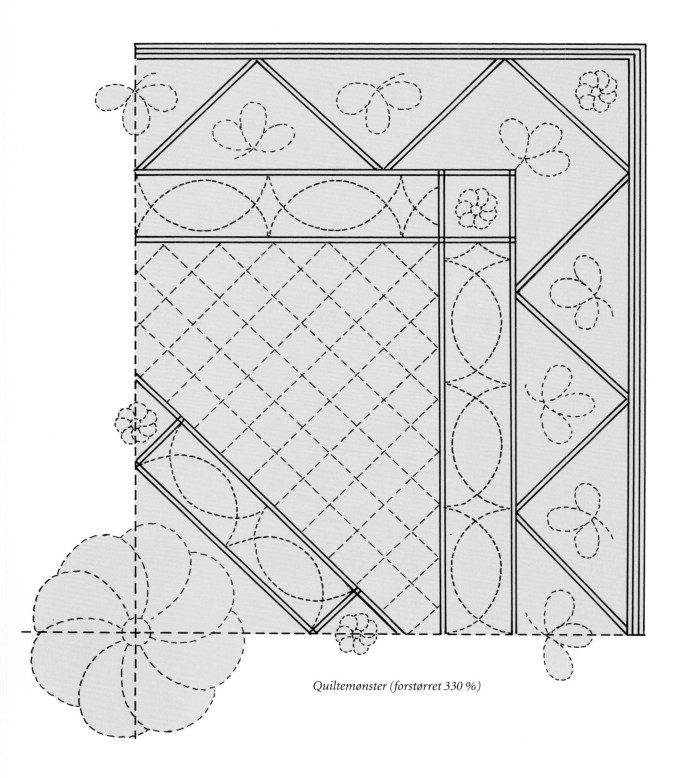

Quiltemønster (forstørret 330 %)

Liten skulderveske med landskap

De fleste småpiker liker vesker. Håndvesker, handlevesker, skuldervesker eller en annen type veske. Enkelte er imidlertid avhengige av å gå med veske og denne har jeg laget for en helt spesiell liten pike, min egen Briony, som alltid må ha med seg astma-inhalator. Det dukket opp en mengde ideer da denne ble laget, for landskapet kunne være i vinter- eller høstfarger, eller det kunne være et kystlandskap. Vesken kan sys for hånd eller på maskin.

Ferdig størrelse (uten rem): 18 × 15 cm

DU TRENGER

Blått stoff (til himmelen) 40,5 × 18 cm
Frysepapir
Stoff til mellomfôr 39 × 17 cm
Stoff til fôr 39 × 17 cm
Biter av stripete stoff (til åkrene)
Biter av grønne og hvite stoffer
Biter av grønne stoffer (til trærne)
Vatt 39 × 18 cm
Skråbånd i passende farge 175 cm × 2,5 cm
Knapper med dyr (jeg brukte tre sauer og to kyr)
Tråd som passer i fargen for broderi og quilting

1 Forstørr veskemønsteret på side 86 med 150 % og skjær ut en bit av det blå himmelstoffet og en bit frysepapir. Overfør plasseringen av åkrene på kanter av det blå stoffet og tråkle frysepapiret fast til baksiden.

2 Forstørr mal A og B med 150 % på en kopimaskin. Bruk mal A og skjær en lapp i stripete stoff. Bruk mal B og skjær en lapp i grønt stoff. Plasser del B på bunnstoffets rette, slik at kantene stemmer med det overførte mønsteret. Plasser lapp A oppå lapp B slik at de passer sammen. Fest med nåler og tråkle på plass.

3 Bruk plattsøm (se side 30) og sy kanten av det grønne stoffet fast til bakgrunnen. Fortsett til du er såvidt under det stripete stoffet. Bruk plattsøm for å feste kanten på det stripete stoffet på plass. Pass på at du får med begge sårkantene.

4 Skjær skyer av hvitt stoff ved hjelp av mal A og C som du finner på side 96 under *Nakkepute for søte drømmer*. Ikke legg til sømmonn. Fest med nåler og tråkle på plass. Sy med hvit plattsøm langs kanten av skyene. Bruk plattsøm for å lage de brune trestammene. Se på bildet for plassering.

5 Fest sammen skystoffet, fyllmaterialet og mellomfôret, og tråkle sammen (se *Tråkle sammen*, side 21). Velg tråd i passende farge og sy med quiltesting rundt åser og skyer (se *Quilteprosessen*, side 21).

6 Sy på skråbånd langs den rette kanten på vesken (se *Kanting*, side 25). Ta et 10 cm langt skråbånd, brett i to på langs og sy sammen slik at sårkantene skjules. Brett i to slik at du får en hempe til knappen. Fest med knappenåler og tråkle hempen på plass midt på den buete klaffen. Se på skjemaet på side 86. Fest hempen på vrangen med sårkantene mot hverandre. Sett skråbånd på den buete klaffen. Begynn 2,5 cm nedenfor den rette kanten på den samme eller den andre siden. Trekk litt i skråbåndet mens du fester slik at det ligger pent.

7 Brett vesken slik at åsene på for- og bakside
stemmer overens, og fest med knappenåler.
Begynn 1 cm nedenfor den ene kanten og fest det
resterende skråbåndet langs veskekanten. Plasser
den andre enden av båndet i nederste hjørne på den
andre siden av vesken og fest på samme måte. Nå har
du en lang løkke som blir skulderremmen på vesken.
Sy fast skråbåndet på maskin, brett rundt og fest for
hånd. Nest sammen skulderremmen.

8 Av de små grønne bitene skjærer du to sirkler
med diameter på 6,5 cm og seks med diameter
på 4 cm. Bruk mørk grønn tråd og lag åtte yo-yo-
lapper slik det beskrives under *Regnbueteppe* på side
46. Sy fast yo-yo-ene på trestammene, og sy fast
dyreknappene.

MAL A
Åkrene
(forstørret med 150 %)

MAL B
Grønne enger
(forstørret med 150 %)

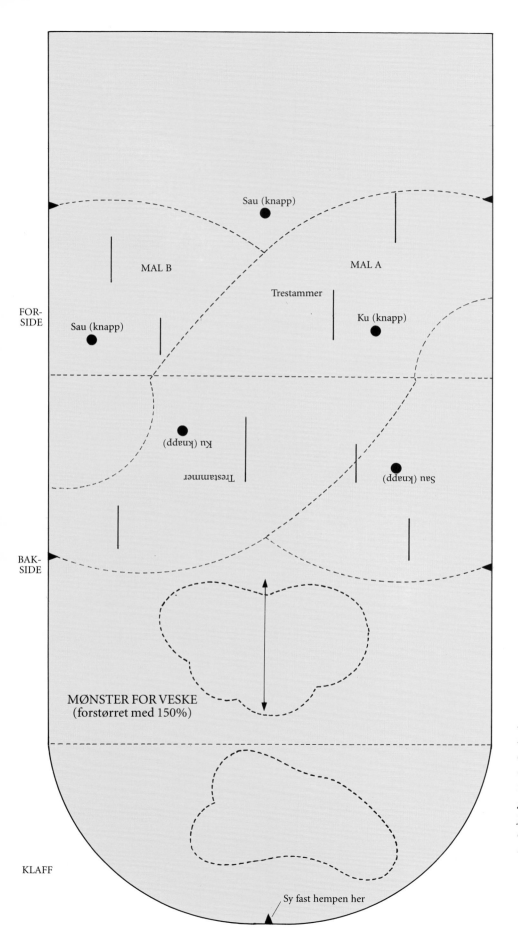

Sau (knapp)

MAL B   MAL A

Trestammer

FOR-
SIDE

Sau (knapp)   Ku (knapp)

Ku (knapp)

Trestammer

Sau (knapp)

BAK-
SIDE

MØNSTER FOR VESKE
(forstørret med 150%)

KLAFF

Sy fast hempen her

Mønsteret angir hvor du skal plassere lappene det applikeres på; trestammene og dyreknappene. Legg merke til at mal B, de grønne engene, plasseres først, og deretter mal A, åkrene, oppå. Pass på at kantene stemmer overens.

Forkle og nett med kakemann

Dette forkleet og handlenettet gjør det morsomt for barna å være med på kjøkkenet og på handlerunden. Begge arbeidene er vaskbare og fôret. Applikasjonene er sydd fast med knapphullssting. Det er en både rask og dekorativ teknikk som fester en stoffbit på en annen, men jeg har i tillegg brukt vlisofix for å gjøre arbeidene mer varige.

Ferdige størrelser: Forkle 45 × 58,5 cm; Handlenett 24 × 25,5 cm

DU TRENGER

Utsidestoff 50 × 112 cm

Fôrstoff 50 × 112 cm

Stoffbiter til applikasjonene

Biter av vlisofix

Halvstiv kartong

Skråbånd i kontrastfarge 4 m × 2,5 cm

Broderigarn (seks tråder) som passer i fargen

Tråd som passer i fargen

Fire runde, svarte perler

1 Begynn med å vaske, tørke og stryke stoffene. Se på fig. 2 (side 90). Skjær et stykke til forkleet, ett stykke til nettet og to stykker til hankene av utsidestoffet. Av fôrstoffet skjærer du ett stykke til forkleet og ett stykke til handlenettet.

FORKLE MED KAKEMANN

Slik lager du applikasjonen

2 Skjær bakgrunnsstoffet som kakemannen skal festes på, det skal være 20 × 13 cm. Legg det til side.

3 Skjær en pappmal i halvstiv kartong av mal A (se rammetekst side 91). Tegn av malen på papirsiden av vlisofixen. Skjær ut ganske røft og stryk fast på stoffet som skal bli kakemannen. Skjær langs den tegnete linjen, trekk av baksidepapiret, plasser på bakgrunnsstoffet og stryk. Sy fast med knapphullssting (se side 29) rundt kakemannen. Bruk tråd som passer i fargen.

4 Skjær en sirkel med 10 cm i diameter i hvitt stoff. Den skal bli kokkeluen. Tråkle langs sirkelens kant med hvit tråd, rynk tråden og fest. Sett kokkeluen fast med knappenåler på kakemannens hode.

5 Skjær et stykke hvitt stoff som er 6,5 × 3 cm. Brett de to langsidene inn mot midten og brett inn 8 mm fra hver kortside. Fest denne stoffbiten på tvers over den nederste delen av pullen på kokkeluen med knappenåler. Sy knapphullssting i hvitt langs kanten.

6 Stryk vlisofix på baksiden av det hvite stoffet. Bruk mal A og skjær et forkle til kakemannen. Det kan være at du må ha dobbelt hvitt stoff for å hindre at det brune vises gjennom. Stryk forkleet på plass og sy rundt med hvite knapphullssting.

7 Bruk kontursting (se side 30) og broder knyttebåndene på kakemannens forkle og skaftet på treskjeen, slik du ser på bildet. Broder toppen av treskjeen i plattsøm (se side 30). Sy fast svarte perler til øyne og sy munnen med rettsøm. Renskjær bakgrunnstoffet som applikasjonen er festet på, slik at den blir 11,5 × 18 cm.

Slik lager du selve forkleet

8 Legg utside- og fôrstoffene sammen og brett i to. Mål 23 cm ned fra hjørnet og sett et merke. Mål 13 cm inn fra hjørnet mot bretten og sett et nytt merke. Plasser en asjett på stoffet i krysningspunktet mellom de to linjene og tegn rundt slik at du får en passende kurve for armhullene. Bruk en middagstallerken når du skal lage kurven som utgjør hjørnene nederst på forkleet (se fig. 1).

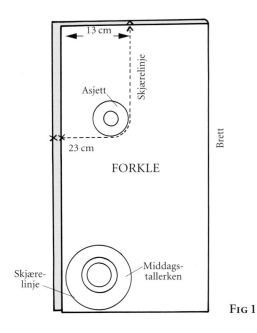

Fig 1

9 Fest applikasjonen midt på øvre del av utsidestoffet og sy fast med knapphullssting. Fest utsidestoffet sammen med fôrstoffet. Bruker du sikkerhetsnåler er det lettere å håndtere arbeidet i de neste trinnene.

10 Sett skråbånd på den øverste rette kanten på forkleet (Se *Kanting* side 25). Sy fast skråbåndet langs nederste del av forkleet, fra merket for 23 cm på den ene siden til merket på den andre siden. Brett skråbåndet rundt på retten og sy fast med maskinstikning.

11 Klipp av et stykke skråbånd på 192 cm. Mål 33 cm og avmerk punktet med en blyant.

Plasser dette punktet ved merket for 23 cm (se fig. 1) på vrangen av forkleet. Bruk 1 cm sømmonn, fest med knappenåler og sy på maskin til merket for ∧ 13 cm. La 53 cm skråbånd henge løst (det skal gå rundt halsen) og fest videre fra det motsatte merket for ∧ 13 cm. Sy på maskin til merket for 23 cm og la resten av båndet henge. Brett inn 1 cm på hver ende av skråbåndet for å skjule sårkantene.

12 Snu forkleet på retten og brett skråbåndet i to. Fest med knappenåler og sy på maskin langs hele skråbåndet, både der det festes til forkleet og der det blir knyttebånd og skal gå rundt hodet. Stikningen du lager kommer på retten, så du bør sørge for at det blir en jevn og pen søm.

Når du bruker dette forkleet plasserer du løkken over hodet og trær en av de løse endene gjennom løkken bak på ryggen før du knytter de to endene sammen. Dermed hindrer du at øvre del av forstykket buler.

KAKEMANNENS HANDLENETT

Slik lager du applikasjonen

1 Lag grunnelementet til applikasjonen på samme måte som på forkleet, men plasser delene som utgjør paraplyen for seg. Bruk kjedesting (se side 29) i overgangene og kontursting for å lage paraplyhåndtaket. Sy fast skråbånd rundt bakgrunnsstoffet som kakemannen er sydd på.

Slik lager du nettet

2 Brett begge langsider av hvert bærehåndtak inn mot midten og brett i to på midten slik at du får fire lag stoff og skjulte sårkanter. Lag en stikning på maskin 1 cm fra hver ytterkant.

3 Brett fôret til nettet i to og beregn 1 cm sømmnonn. Sy sammen der det ikke er brettet, men la det stå igjen 20 cm åpning midt på sømmen. Skjær langs bretten.

4 Beregn 1,5 cm sømmonn og sy sidesømmene både på fôrstoffet og utsidestoffet. Plasser utsidestoffet inne i fôrstoffet rette mot rette. Beregn

1,5 cm sømmonn og sy rundt øvre kant, mens begge lag holdes sammen. Vreng utsidestoffet gjennom hullet i fôret. Sett åpningen sammen med knappenåler og sy sammen fra retten. Stapp fôret inn i nettet.

5 Brett inn 2 cm på hver ende av håndtakene og sy dem fast med stikninger langs øvre kant av nettet.

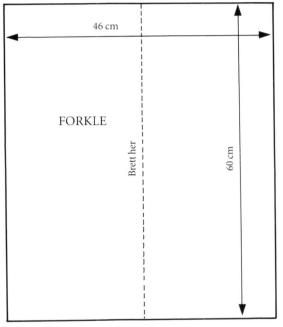

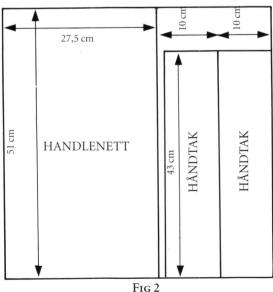

FIG 2

MAL A

SAMMENSATTE MALER

Figurene på side 91 og 92 er annerledes enn malene du har sett hittil i denne boken. Dette er sammensatte maler som gjør det lettere å forstå hvordan arbeidet vil se ut når det er ferdig. Delene som utgjør applikasjonen må lages som frittstående maler. Når det gjelder mal A for kakemannen, lager du først en mal for kroppen. Deretter lager du en mal for forkleet. Du trenger ikke lage mal for kokkeluen, for fremgangsmåten er beskrevet i trinn 4 og 5.

Samme fremgangsmåte gjelder for mal B. Først lages malen for selve kroppen, og deretter lages malene for de enkelte delene som utgjør paraplyen.

MAL B

Nakkepute for søte drømmer

Små nakkeputer er forbausende nyttige til mange anledninger. Det er godt å ha en i bilen til passasjeren på lengre turer, eller en blant de vanlige putene når du skal lese på sengen. De er raske å lage og trekke, og er den perfekte gave. Du kan fylle dem med tørkede humleblomster eller lavendel, da er du garantert å sove godt. Puten kan gjerne være enkel. På denne har jeg applikert noen små skyformer med søvndyssende utsagn.

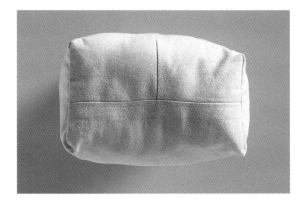

Ferdig størrelse: 30 ×13 cm

DU TRENGER
Til selve puten:
Hvitt bomullsstoff 49 × 43 cm
Hvit tråd
Mindre mengder vatt

Til trekket:
Et stykke stoff 47 × 39 cm
Biter av hvitt stoff
Blonde 98 × 6 cm, delt i to
Blått broderigarn til skriften
Snor eller bånd til å knytte, to lengder à 75 cm

Slik lager du puten

1 Begynn med å vaske, tørke og stryke stoffene. Brett det hvite bomullsstoffet i to på lengden og beregn 1 cm sømmonn. Sy en søm slik at du får en sylinder (se fig. 1, søm A). Plasser søm A i midten og sy langs sylinderens ende med 0,6 cm sømmonn (se fig. 1 søm B).

2 Sy tvers over stoffet ved hver ende av søm B slik det er vist i fig. 2. Du skal nærmest kutte hjørnene. Dermed får du pene, skarpe hjørner når puten vrenges, slik du ser på bildet over.

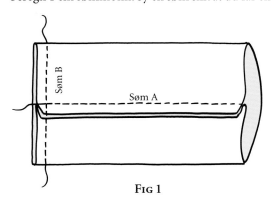

Søm B
Søm A
FIG 1

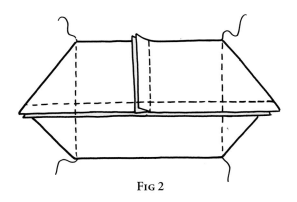

FIG 2

3 Nå syr du en søm på den andre kortsiden av puten, altså på motsatt side av søm B, men lar det være en åpning på ca. 8 cm midt på, slik at du kan få inn fyllmaterialet. Sy en søm på hver side så du får pene hjørner, slik du gjorde på den andre siden.

4 Vreng stoffet med retten ut og sørg for at hjørnene blir spisse. Fyll puten slik at den ikke blir for hard. Sy igjen åpningen med kastesting. Hvis du vil, kan du nå legge inn tørket lavendel eller humleblomster.

Slik lager du putetrekket

5 Med malene A–D for skyer, på side 96, applikerer du skyer (se *Applikasjon over papirlapper*, side 25). Bruk en fargeblyant og skriv det som skal stå på skyene på stoffets rettside før du tråkler fast papiret. Stryk bakgrunnsstoffet og plasser de forberedte applikasjonslappene der de skal være, og pass på at du har plass til sømmene. Sy fast skyene med små nestesting.

6 Broder det som skal stå på skyene med kontursting (se side 30). Følg streken du har tegnet, og bruk dobbel tråd.

7 Brett putetrekket i to på lengden, rette mot rette, beregn 1 cm sømmonn og sy sammen til en sylinder. Lag en fald på 0,5 cm på hver kortside og fest blonden med knappenåler på innsiden av falden. Sørg for at blonden skjøtes i sømmen på trekket. Tråkle først og sy på maskin med to sømmer med avstand på 0,5 cm (se fig. 3).

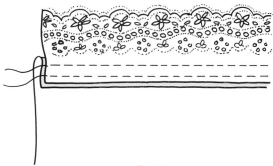

FIG 3

8 Ta en lengde snor eller bånd, brett i to og plasser på den langsgående sømmen, 4 cm inn fra enden av stoffet (ikke fra blonden). Sy fast båndet på maskin ved å sy fram og tilbake flere ganger. Gjenta på den andre kortsiden.

9 Stapp puten inn i det ferdige putetrekket. Når du skal lukke endene, surrer du båndet eller snoren noen ganger rundt før du knyter en sløyfe. Hvis du bruker en snor, lager du en knute ytterst på hver ende. Bruker du bånd, klipper du endene slik at de ikke rakner, i spisser eller på skrå.

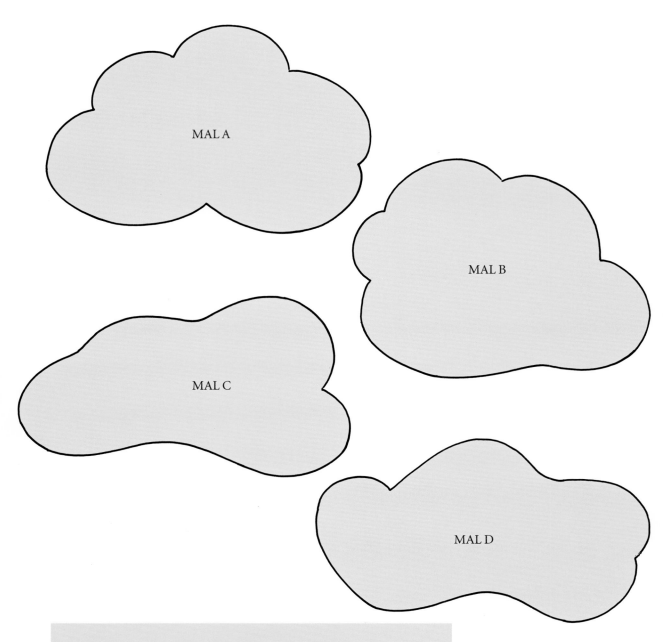

MAL A

MAL B

MAL C

MAL D

Broderi kan være svært vakkert i kombinasjon med lappearbeider, quilting og applikasjon. Det kan være lurt å begrense antallet ulike stingtyper som brukes. Se side 29 hvor du finner en oversikt over de vanligste. I dette prosjektet er broderiet sydd for hånd med kontursting, men på større og mer komplekse broderier kan du trenge en broderiramme som holder arbeidet stramt mens du syr. Du kan eksperimentere med ulike typer broderigarn, for det finnes så mange flotte varianter i vakre kvaliteter å få kjøpt, fra den fineste silke til tykt, rufsete ullgarn.

Veggteppe med blyglassmønster

Dette er en tolking i tekstil av de praktfulle kirkevinduene man finner i de store katedralene. Jeg har valgt å lage et mønster med fargerike frukter som vil ta seg godt ut i et mørkt hjørne i en spisestue eller på et kjøkken. Denne teknikken er egnet for de sterke fargene fordi den mørke innrammingen får fargene til å skinne. Du kan også bruke mønstrete stoffer i fruktene.

Ferdig størrelse: 40 × 23 cm

DU TRENGER

Bakgrunnsstoff 50 × 115 cm
Biter av ensfargete stoffer i flere ulike klare farger
To pakker med tynt svart skråbånd
Vatt 50 × 115 cm
Bakside eller fôrstoff 50 × 115 cm
Svart tråd til applikasjoner og quilting
Mindre mengder broderigarn

1 Forstørr fruktmønsteret med 140 % på en kopimaskin. Overfør hele motivet til bakgrunnsstoffet. Hvis du har en mørk bakgrunn kan en lys blyant være fin å bruke. Overfør hver av de fargete delene fra mønsteret, og vær nøye så du ikke speilvender dem. Fest de overførte fruktformene på farget stoff i egnet farge, og skjær ut. Plasser hver av fruktformene i stoff på bakgrunnsstoffet, men vent med kirsebærene (se trinn 4). Tråkle alle formene på plass.

2 Når du skal lage effekten med blyinnrammingen bretter du skråbåndet i to på langs før du syr det på plass. Bruk nummereringen som fruktene har på side 98. Vær nøye med hvor linjene begynner og slutter, og pass på at den som er ferdig kommer under den neste du begynner med. Fest skråbåndet med knappenåler, gjerne tynne og små som tråden ikke så lett hekter seg fast i.

3 Sy skråbåndet fast med faldesting (se side 29) og vær nøye med spissene på bladene. På bladene syr du først fast midtlinjen og deretter den venstre siden frem til spissen. Fortsett deretter med den høyre siden som avsluttes øverst på den venstre linjen.

4 Kirsebærene lages på en annen måte enn de øvrige fruktene fordi de er så små. Begynn med å skjære ut tre kirsebær i svart stoff og beregn 0,6 cm sømmonn. Appliker dem på plass og appliker deretter tre røde kirsebær som er mindre på det svarte slik at du får samme virkning som om det var brukt svart skråbånd.

5 Når du er ferdig med applikasjonen, syr du stilker på kirsebærene og på pærene ved hjelp av kontursting (se side 30). Bruk brun broderisilke.

6 Legg applikasjonslaget sammen med fyllmaterialet og fôrstoffet (se *Tråkle sammen*, side 21). Sy med quiltesting rundt og innenfor alle frukter og blader, og quilt et mønster på bakgrunnsstoffet rundt applikasjonene (se *Quilteprosessen*, side 21).

7 Til slutt setter du svart skråbånd rundt hele arbeidet (se *Kanting*, side 25). Hvis du vil fremhever du detaljer med en tynn svart tusj.

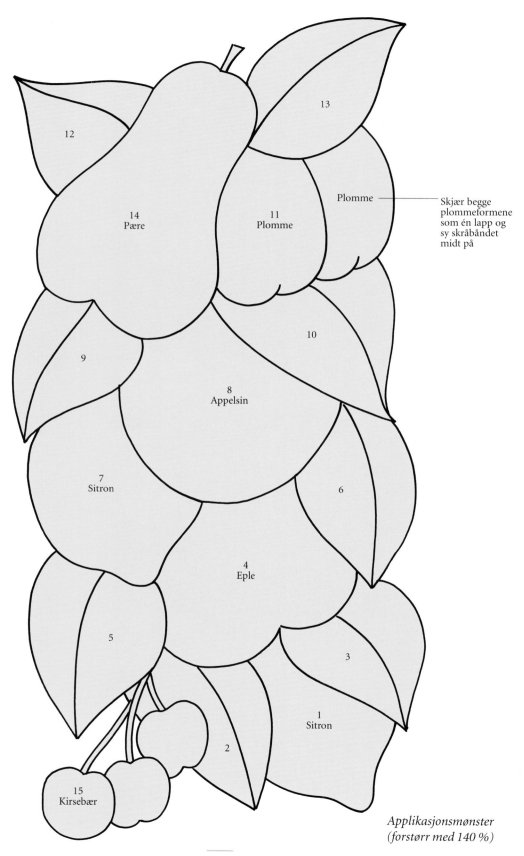

13

Plomme

Skjær begge
plommeformene
som én lapp og
sy skråbåndet
midt på

12

14
Pære

11
Plomme

10

9

8
Appelsin

7
Sitron

6

4
Eple

5

3

1
Sitron

2

15
Kirsebær

*Applikasjonsmønster
(forstørr med 140 %)*

Indiansk quiltet teppe

Sjablonmaling er en gammel dekorasjons-teknikk som kan benyttes på mange overflater. Den kan også kombineres med quilting, for ved quilting rundt sjablonmalte former slipper du konflikten med sømmene! Dette quiltete teppet har motiver fra de nord-amerikanske indianerne. Det kan brukes som pledd i gyngestolen eller i bilen.

Fremgangsmåten er beregnet på denne spesielle quilten med disse bestemte sjablonene, men du kan lett lage din egen quilt ved å bruke sjabloner du liker og ordne dem slik du finner det best. Det finnes mange ferdige sjabloner i handelen, i hobbyforret-ninger, hos mer avanserte fargehandlere eller i for-retninger som selger kunstutstyr.

Ferdig størrelse: 145 × 110 cm

DU TRENGER

Ensfarget sandfarget stoff 300 × 112 cm

Vatt 150 × 112 cm

Egne sjabloner eller skjema på s. 103 i forstørret
   utgave

Maskeringstape

Fargete stoffer: turkis, svart, terrakotta og gul eller
   etter eget ønske

Sjablonkoster

Tråd til quilting som passer i fargen

Rutet stoff i kontrastfarger til kanting 50 cm

1 Begynn med å vaske, tørke og stryke stoffene, og overfør deretter sjablonmotivene fra quilteskjemaet på side 103.

Sjabonmaling (trinn 2–4)

Du bør øve deg på papir og stoff før du begynner på selve teppet for å få bra resultat. Når du synes at du behersker teknikken, kan du begynne på teppet, og lage ett sjablonmotiv av gangen.

2 Plasser en sjablon der den skal være på stoffet hvor du har overført motivene. Det kan være fornuftig å feste den med maskeringstape slik at den ikke glir unna mens du arbeider.

3 Fukt kosten med vann og tørk den. Dypp kosten i malingen, og fordel malingen jevnt på kosten ved å gni den mot en skål. Tørk av mesteparten av malingen på en papirbit. Når kosten er så tørr at du ikke synes det er noe maling igjen, er den perfekt.

4 Hold kosten loddrett og påfør malingen med en stempelbevegelse. Sørg for at kosten kommer helt ut i hjørnene på sjablonen slik at kantene på motivene blir skarpe og rene. Fullfør hele sjablonen og bytt til neste farge. Det er best å bruke én kost for hver farge. Fyll sjablonen med farge nummer to før du fristes til å kikke og fjerne sjablonen. La det sjablonmalte arbeidet tørke ordentlig før du stryker det og går videre.

5 Bruk en fargeblyant med lys farge og overfør quiltemotivet fra skjemaet til det sjablonmalte stoffet (se *Merke quiltemønsteret*, side 21). Noen av de sjablonmalte runde motivene er mindre enn andre, derfor vil quiltesømmene bli lenger enkelte steder. Du trenger ikke å bekymre deg for dette, for helheten blir likevel harmonisk.

6 Legg de tre lagene som utgjør quilten sammen, og fest med sikkerhetsnåler før du tråkler (se *Tråkle sammen*, side 21). Sy med quiltesting langs alle merkete linjer (se *Quilteprosessen*, side 21).

7 Til slutt lager du kantbånd av det rutete stoffet i kontrastfarge, og kanter hele teppet (se *Kanting*, side 25).

Skjema for quilting

Pute til gifteringer

Tradisjonen med å bruke en pute som ringene til brudeparet ligger
på, er ganske ny, men likevel veldig sjarmerende. Puten kan lages
slik at den passer i fargen til brudekjolen eller til brudepikenes
kjoler, og den kan gjerne bæres av en liten brudesvenn slik at han får
en viktig oppgave. Ringene er knyttet fast med silkebånd slik at
katastrofer unngås! Hvis du vil, kan du sy navnene på brud og
brudgom og bryllupsdatoen slik at du lager et varig minne. Jeg har
valgt et mønster med fire hjerter som er flettet i hverandre, et motiv i
keltisk trasjon. Symbolikken er enkel, linjene har ingen avslutning,
som kjærligheten de representerer.

Ferdig størrelse (inkludert rysjekant): 23 × 23 cm

DU TRENGER

Lyst, ensfarget stoff 3 kvadrater à 15 × 15 cm
Brudestoff 2 kvadrater à 20 × 20 cm
Brudeslør til rynkekant: 9 × 94 cm
Mørkt kontrastfarget (eller blomstret) stoff
  115 × 25 cm
Blonde som passer 100 × 2 cm
Silkebånd som passer i fargen 48 cm
Tråd som passer i fargen
Vatt til 2 kvadrater à 16 × 16 cm
Mindre mengder vatt

1 Først lager du innerputen av to kvadrater på 15
cm i lyst ensfarget stoff. Beregn 0,6 cm søm-
monn og sy rundt alle sider. La det stå igjen en åp-
ning på 4 cm i en søm slik at du får inn fyllet. Vreng
puten og pass på at hjørnene blir spisse. Bruk gjerne
en heklenål. Legg til side.

2 Når du skal lage putetrekket begynner du med
å lage skråbåndet som brukes til applikasjonen.
Skjær skråbånd med 3 cm bredde av det mørke kon-
trastfargete stoffet. Disse remsene med bånd trenger
ikke å være spesielt lange, 18 cm er nok. Brett hvert
bånd i to på langs og sy en søm med 0,6 cm søm-
monn. Bruk en bias bar (metallspile, se side 10) som
du stikker inn i sylinderen du har sydd, for å stryke
båndet flatt. Gjenta med alle båndene.

3 Stryk et kvadrat av bryllupsstoffet. Overfør
motivet med hjertene (side 106) på stoffet ved
hjelp av et lysbord eller et godt opplyst vindu (se
Merke quiltemønsteret, side 21). Avmerk hvor de
kryssende linjene skal gå over eller under hverandre,
for du må passe på å begynne og avslutte under en
overliggende linje.

4 Plasser et stykke skråbånd på en underliggende
linje og fest med knappenåler. Bruk korte,
tynne knappenåler som tråden ikke fester seg så lett i
mens du syr. Sy fast langs innersømmen på
skråbåndet med små, fine faldesting og fjern
knappenålene etter hvert. Når du har sydd fast
bortimot 6 cm begynner du på den ytre sømmen.
Når du kommer til en spiss legger du den helt over
underliggende skråbånd, bretter inn sårkanten på
båndet og syr fast slik du ser på fig. 1. Avslutt hvert
bånd på en underliggende linje og fortsett til hele
applikasjonen er ferdig.

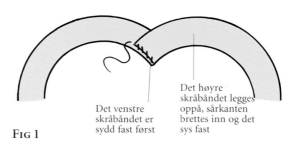

Det venstre
skråbåndet er
sydd fast først

Det høyre
skråbåndet legges
oppå, sårkanten
brettes inn og det
sys fast

FIG 1

The Service

5 Legg laget med applikasjonen sammen med to kvadrater med fyllmateriale og et kvadrat med lyst ensfarget stoff (se *Tråkle sammen*, side 21). Sy med quiltesting rundt det applikerte motivet, tett ved kantene (se *Quilteprosessen*, side 21).

6 Skjær en stripe med bryllupsstoff som er 9 cm bred og 94 cm lang (du kan skjøte om nødvendig). Sy sammen endene slik at du får en sirkel og brett båndet i to på lengden. Stryk bretten. Båndet er nå 4,5 cm bredt.

7 Tråkle blonden fast til sårkanten på båndet, og legg skjøten til sømmen. Fest sårkanten på båndet til kanten av puten, rette mot rette. Brett båndet slik at mesteparten av det overskytende samles i hjørnene, men det kan god være et par tre legg langs langsiden også (se bildet). Når du har satt i knappenåler, tråkler du fast og syr på maskin.

8 Sy en stikning på maskin på retten av puten, innenfor sømmonnet til rysjekanten, like ved ytterkanten, slik at rysjen blir stående ut.

Skjema for applikasjon

9 Ta et kvadrat på 20 × 20 cm i bryllupsstoff. Det skal bli baksiden av putetrekket. Stryk og tråkle en fald på 0,6 cm hele veien rundt. Sy fast på vrangsiden av forsiden, vrange mot vrange, med små faldesting. Legg inn selve puten når du har sydd trekvart av sømmen rundt. Sørg for at kantene på puten legges mot sømmonnene. Putetrekket er ganske trangt, men det er meningen for å få en jevn overflate.

10 Del silkebåndet i to og skråklipp endene for å hindre rakning. Brett hvert bånd i to og fest ved punktene merket med * på skjemaet for applikasjonen. Sy godt fast med tråd i passende farge. Nå er puten helt ferdig, og det som gjenstår er å træ ringene på silkebåndene når den store dagen inntreffer, og sikre dem med små sløyfer.

Detalj av puten som viser hvordan quiltingen fremhever mønsteret med de sammenflettede hjertene

Albumtrekk
med kirkevindumønster

*Dette trekket er laget slik at det kan passe album i alle størrelser, og det
er en flott gave til de nygifte. Denne utgaven er laget i ren silke, men det
anbefaler jeg ikke for nybegynnere for det er ganske vanskelig å arbeide
med. Du kan godt bruke et mønstret stoff i stedet for et ensfarget. Hva
med å bruke samme stoff som brudekjolen er sydd av og med stoff fra
brudepikekjolene i midtfeltene? Jeg har sydd på små messingcharms.
Dette gir albumet et klassisk uttrykk, men du kan også bruke
perler eller vakre knapper.*

Ferdig størrelse: 28 × 30,5 cm (eller avhengig av
størrelsen på albumet du skal trekke)

DU TRENGER
Et fotoalbum som er hvitt eller kremfarget utenpå
Kremfarget silke (eller mønstret bomullsstoff)
  100 × 115 cm
Biter av farget silke og brokade
Kremfarget bomullsstoff til fôr 50 × 115 cm
Tynt fyllmateriale ca. 91 × 30 cm
Tråd som passer i fargen
Messingcharms eller knapper og perler til pynt

1 Lag først kvadratet med kirkevinduene. Skjær
ni kvadrater på 17 cm i kremfarget silke eller
mønstret stoff. Det kan være lurt å stryke på tynn
vlisofix på stoffets vrange før du skjærer, for det gjør
at stoffet blir stødigere. Strykestivelse på sprayboks
som brukes på vrangen, vil også gjøre stoffet stivere
og lettere å håndtere fordi det vil ta brettene bedre.

2 Skjær åtte kvadrater på 4 × 4 cm i brokadestoff
og fire kvadrater på 4 × 4 cm i farget silke.

3 Ta et av kvadratene i kremfarget silke og brett
inn 0,6 cm på vrangen på alle fire sider. Dette
blir sømmonnet. Stryk bretten. Gjenta med de øvrige

åtte kvadratene. Brett hvert hjørne på lappen inn mot
midten, og fest de fire snippene med noen små nest.
Gjenta med de øvrige åtte kvadratene. Sørg for å
stryke ordentlig (bruk gjerne strykestivelse).

4 Brett hjørnene inn mot midten en gang til, og
fest med to eller tre tynne attersting. Gjenta
med de øvrige åtte lappene. Stryk godt.

5 Ved hjelp av små sting syr du sammen alle de ni
lappene til et mønster som består av tre ganger
tre lapper (se fig. 1). Legg lappene rette mot rette
mens du syr.

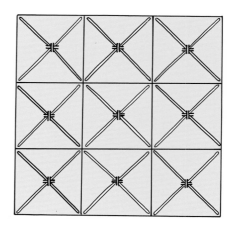

FIG 1

6 Legg en lapp med brokadestoff over skjøten mellom to lapper og fest med knappenåler (se fig. 2). Dra kantene på den brettete silkekvadraten over og fest med knappenåler. Sy fast med små nest (se fig. 3). Se på bildet på side 109, og sett inn de andre fargete lappene der du ønsker. Sy på plass alle fire sider slik det forklares ovenfor.

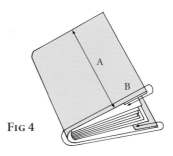

Fig 4

9 Legg sammen lagene slik: vatt, silkestoff og fôrstoffet øverst. Sett sammen med knappenåler og sy en søm langs ytterkanten på tre sider. Beregn 0,6 cm sømmonn fra ytterkant. Renskjær sømmonnet til 3 mm og vreng slik at retten kommer ut. Sørg for at hjørnene blir spisse. Stryk og sy sammen åpningen med sikksakksting eller kastesting.

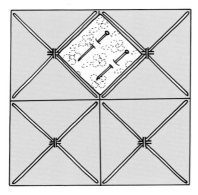

Fig 2

10 Brett trekket rundt albumet og brett inn klaffene. Sy sammen begge sømmene som låser klaffen. Gjenta på den andre klaffen.

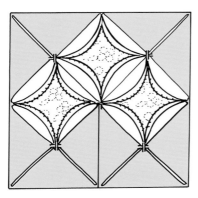

Fig 3

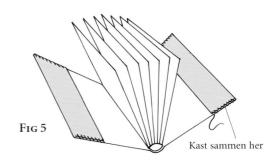

Fig 5

Kast sammen her

7 Når alle fyll-lappene er på plass, vrenger du over de andre brettete kantene og fester dem med små, fine nest. Dekorer som du ønsker. Legg til side.

8 Nå skal du lage selve albumtrekket. Ta nøyaktig mål av albumet (se fig. 4). Mål A gir høyden på trekket, mål B er den totale lengden med to klaffer på 13 cm, bredden på for- og bakside og ryggen. Overfør de nøyktige målene til bomullsfôrstoffet.

11 Dra trekket over albumet slik at det kommer på plass. Dette kommer til å være ganske trangt, og det skal det være. Plasser kvadratet med kirkevinduene på forsiden. Fest det ørlite grann høyere enn midten og fest med nåler. Pass på at du ikke lager riper i albumforsiden.

12 Dra stofftrekket av albumet, og sy fast kvadratet med kirkevinduene. Når du er ferdig, setter du det ferdige trekket på albumet igjen.

Veggteppe med sammenflettete ringer

Dette motivet ble populært i 1930-årene. På engelsk er navnet «double wedding ring», og man ser lett de sammenflettete gifteringene. I England er det etter hvert blitt en tradisjon at de nygifte får en quilt eller et veggteppe med ønske om et langt og lykkelig ekteskap. Dette motivet med fire ringer blir et fint veggteppe, men du kan øke antallet ringer og stoffmengden, og lage et quiltet teppe.

Ferdig størrelse: omtrent 74 × 74 cm

DU TRENGER

Kremfarget bomullsstoff 150 x 112 cm

Seks ulike mønstrete stoffer 25 x 112 cm av hver (til buene)

To ensfargete stoffer 25 x 112 cm av hver (til hjørnefirkantene)

Vatt 81 × 81 cm

Skråbånd, ferdigkjøpt eller hjemmelaget 2 m

Rosa tråd til å quilte med

Motivet er ikke det enkleste å sy fordi det har de buete sømmene. Hvis du imidlertid er nøye og følger fremgangsmåten, er det ingen grunn til at du ikke skulle lykkes. Sørg for at du lager nøyaktige maler og at du får passmerkene til å stemme på de buete delene. Da plasseres delene riktig.

Slik lager du en ring for øvelsens skyld (trinn 1 og 2)
Selv om det tar tid, er det fornuftig å lage en ring for øvelsens skyld. Dermed kontrollerer du også at alle lappene passer godt sammen. *Merk:* Malene er laget for håndsøm, og du må legge til 0,6 cm sømmonn. Når du har laget en ring for øvelsens skyld, behøver du ikke skjære alle lappene som trengs til hele teppet. Om nødvendig foretar du først justeringer av ringen slik at du ikke sløser bort stoff. Øvelsesringen blir en av de fire ferdige ringene på teppet.

1 Forstørr malene på side 115 med 133 % ved hjelp av en kopimaskin. Skjær følgende lapper av stoffene (se *Skjærehjul*, side 16):
Fire lapper av mal C i ensfarget rosa stoff.
Fire lapper av mal C i ensfarget blått stoff.
Åtte lapper av mal A i mønstret stoff.
Åtte lapper av mal AR (AR er speilvendt av mal A) i mønstret stoff.
32 lapper av mal B i fire ulike mønstrete stoffer.
En lapp av mal D i kremfarget stoff.
Fire lapper av mal E i kremfarget stoff.

2 Bruk diagrammene på side 113, og sy sammen lappene som trengs til øvelsesringen. Følg trinn 3–7 nedenfor. Velg rekkefølge på stoffene ved å lime fast småbiter av stoffene på riktige bokstaver i diagrammet i fig. 1. Dermed får du bedre oversikt over rekkefølgen lappene skal sys sammen i.

Slik lager du quilten
3 Når du skal fortsette med selve quilten må du skjære følgende stofflapper:
Tolv lapper av mal C i enfarget rosa stoff.
Tolv lapper av mal C i enfarget blått stoff.
24 lapper av mal A i mønstrete stoffer.
24 lapper av mal AR i mønstrete stoffer.
96 lapper av mal B i fire ulike mønstrete stoffer.
Fire lapper av mal D i kremfarget stoff.
Tolv lapper av mal E i kremfarget stoff.

4 Sett sammen buene ved å begynne med en lapp A. Plasser den rette mot rette med en lapp B, og sy sammen i den merkete linjen. Sy sammen med neste lapp B og så videre, til buen er ferdig. Avslutt med en lapp AR. Lag alle buene på samme måte.

5 Lag et lite blyantmerke i sømpunktene som er avmerket med 1 og 2 på fig. 1. Plasser en lapp E rette mot rette med en ferdig bue. Sørg for at merkene stemmer, fest sammen med knappenåler og sy sammen. Fest sammen med buen på den andre siden. Gjenta med øvrige buer og E-lapper.

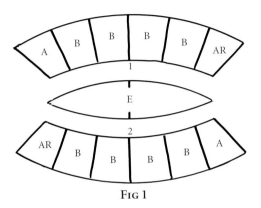

FIG 1

6 Sy fast en blå lapp C i hver ende på seks av buene, og en en rosa lapp C i hver ende på de andre seks buene. Sørg for at merkene stemmer, og sy fast et ferdig buesett på hver side av en lapp D. Sy

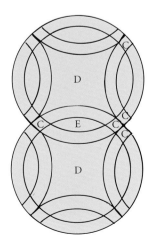

FIG 2

fast et ferdig buesett på tre sider av en annen lapp D. Sy de to blokkene sammen. Sørg for at merkene stemmer (se fig. 2).

7 Sy fast et ferdig buesett til topp og bunn på en lapp D, og sy fast en annen lapp D til den nederste buen. Til slutt syr du fast de tre siste buesettene til topp og bunn og på høyre side av den andre D-lappen, slik at raden fullføres (se fig. 3).

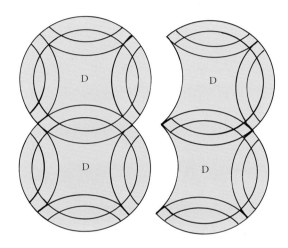

FIG 3

8 Stryk forsiktig slik at du får alle sømmonnene bort fra det kremfargete stoffet. Ved hjelp av en blyant overfører du quiltemønsteret (side 114) til de fire lappene (se *Merke quiltemønsteret*, side 21).

9 Legg lagene sammen (se *Tråkle sammen*, side 21). Sy all quiltingen etter mønsteret (se *Quilteprosessen*, side 21) og sy også en quiltesøm 3 mm fra kanten på alle D- og E-lapper.

10 Sett skråbånd på teppet (se *Kanting*, side 25) og avslutt arbeidet med å sy fast en lapp på baksiden med ditt navn, dato og navnene på brudeparet samt deres bryllupsdag. Nå har du laget et arvestykke!

Quiltemønster

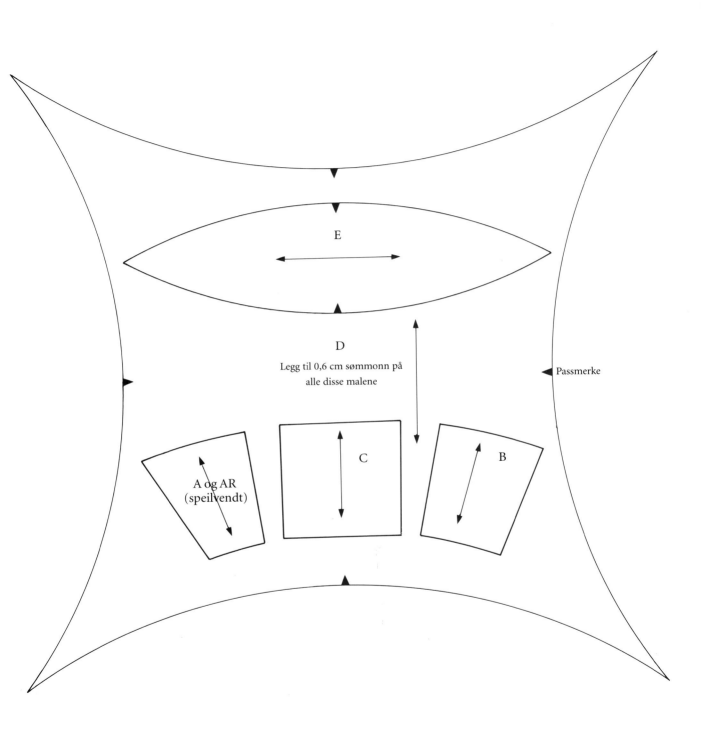

E

D

Legg til 0,6 cm sømmonn på
alle disse malene

Passmerke

C

B

A og AR
(speilvendt)

Forstørr malen med 150 %

Sashiko knutepute

Sashiko er en japansk quilteteknikk som er utviklet for å holde flere lag med stoff sammen slik at man får et tykt og varmt materiale med en dekorativ virkning. Mønstrene er ofte inspirert av naturen, og sys gjerne med tykk, hvit tråd på en mørkeblå bakgrunn med relativt store sting som synes godt. Når teknikken bare brukes som dekorasjon, er det vanlig å sy sammen to stofflag uten fyllmateriale. I dette arbeidet har jeg valgt en grønnfarge, men mønstrene er løselig influert av japansk stil. Du kan velge en annen farge og størrelse, og kanskje variere mønstrene. Husk bare på at mønstrene skal kle hverande når puten knyttes sammen.

Ferdig størrelse: løst trekk **60 × 60 cm**, pute **50 × 50 cm**

DU TRENGER

Ensfarget lysegrønt stoff i ren bomull til trekket
50 × 115 cm
Ensfarget mørkegrønt stoff i ren bomull til fôr og
innertrekket 150 × 115 cm
En pute til å fylle innertrekket med 50 × 50 cm
Tre dukker broderisilke som stemmer i fargen med
det mørkeste stoffet

1 Følg skjemaet for quiltemønsteret på side 118 og overfør mønsteret til det lysegrønne stoffet (se *Merke quiltemønsteret*, side 21).

2 Skjær fire biter med kantstoff på 1,5 x 110 cm fra langsiden av det mørkegrønne stoffet.

3 Plasser det lysegrønne stoffet med det avmerkete mønsteret på fôret og tråkle sammen. Bruk en tykkere quiltenål enn vanlig, for eksempel en «Sharp» No. 6, og tre tråder broderisilke. Sy quiltemønsteret (se *Quilteprosessen*, side 21). Begynn på midten og lag en del av gangen. Det kan være fornuftig å trene litt på noen stoffrester før du begynner på putetrekket. Forsøk å sy jevne, pene sting som er litt lenger enn de du vanligvis bruker.

4 Lag trekket til innerputen ved å skjære to kvadrater av det mørke stoffet på 53 cm. Legg rett mot rette, beregn 1 cm sømmonn og sy rundt med maskin. Sørg for at det er åpning nok til å vrenge trekket og stappe inn puten. Vreng trekket og sørg for at hjørnene blir spisse. Bruk gjerne en heklenål. Stapp inn innerputen og lukk åpningen med små nestesting.

5 Renskjær yttertrekket slik at det blir jevnt og pent og sy på kantbåndene som vist i fig. 1. La det henge en lang bit som skal oversys på hver ende (se *Kanting*, side 25). Dette er knyttebåndene. Til slutt legger du den trukne puten midt på trekket og bretter over klaffene. Knytt sammen to diagonale ender. Skjul sløyfen og knytt sammen de to siste klaffene med en sløyfe som ligger opp.

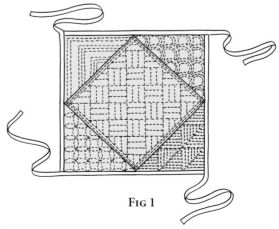

FIG 1

Quiltemønster

Eplequilt

Denne quilten ble jeg inspirert til å lage på grunn av det uimotståelige eplemønstrete stoffet. Det slo meg at jeg kunne lage en serie med quilter av de samme blokkmønstrene, men bruke ulike fargekombinasjoner, slik at jeg ville få frem årstidene. Dette er quilten jeg laget i høstfarger. Quilten er bygget opp av to typer lappeblokker: nierblokker og snøball.

Ferdig størrelse: 204 × 174 cm

DU TRENGER

Fire ulike bomullsstoffer, alle med bredde på 112 cm:

eplemønstret 210 × 112 cm

ensfarget grønt stoff 75 × 112 cm

ensfarget gulbrunt stoff 75 × 112 cm

ensfarget mørkerødt stoff 75 × 112 cm

Kalkérpapir

Fôrstoff 375 × 112 cm

Fyllmateriale, tilstrekkelig til en enkeltseng

Rød tråd til quilting og grønn tråd til å sy med

Ferdigkjøpt eller hjemmelaget skråbånd 8,5 m

1 Begynn med å vaske, tørke og stryke stoffene. Skjær femten kvadrater på 32 × 32 cm av det grønne stoffet. Det skal bli snøballblokkene. Det kan være lurt å lage en mal i kartong (se side 17). *Merk:* Beregningen av sømmonn for sammensying for hånd eller på maskin er viktig her (se rammeteksten side 17).

2 Skjær seksti trekantlapper i mørkerødt stoff ved hjelp av mal A på side 122.

3 Lag blyantmerker 10 cm inn fra hvert hjørne på kvadratene, på stoffets rettside, slik det er vist i fig. 1. Lag deretter blyantmerker på vrangen av alle de mørkerøde trekantene, som vist på mal A. Fest en rød trekant til hvert hjørne på et grønt kvadrat. Pass på at blyantmerkene stemmer. Sy en søm fra merke til merke med 0,6 cm sømmonn (se fig. 2, side 121). Sy en rød trekant til hvert hjørne på alle grønne kvadrater på samme måte.

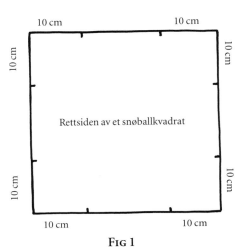

10 cm · 10 cm · 10 cm · 10 cm · 10 cm · 10 cm · 10 cm · 10 cm

Rettsiden av et snøballkvadrat

FIG 1